SV

Daniel Kehlmann
Der fernste Ort

Suhrkamp Verlag

Der fernste Ort

Er atmete nicht mehr, er war abgereist –
wohin, in welche anderen Träume weiß niemand.

(Vladimir Nabokov: »Einzelheiten eines
Sonnenuntergangs«)

I

»Seien Sie vorsichtig!« Der Mann an der Rezeption
sah Julian neugierig an. »Voriges Jahr ist jemand
ertrunken. Einfach nicht zurückgekommen. Man
bemerkt es nicht gleich, aber die Strömungen …«

»Sicher«, sagte Julian, »sicher!«

»Er wurde nie gefunden.«

Julian nickte zerstreut und legte das Handtuch
über seinen Arm. Die Drehtür setzte sich surrend
in Bewegung und gab ihn frei. Die Sonne stand
bereits niedrig. Ein Mann mit einem Strohhut ging
gebückt vorbei, ein dickes Kind warf mit beiden
Händen einen Fußball nach dem Stamm einer
Palme, verfehlte ihn und sah hilflos zu, wie der Ball
den Hang hinabrollte. Julian preßte das Handtuch
an sich und folgte dem Weg, der sich in eine weit
geschwungene Serpentine legte. Es war verwir-
rend, Mitte Oktober an einem Ort zu sein, wo es
noch so warm war.

Der See, hell und reglos, spannte sich bis zu den
Schemen der Hügel am Horizont, eine einzelne
Möwe zog träge darüber hin. Eine Weile starrte

Julian hinab, ohne sich zu bewegen. Es kam nicht oft vor, daß Tagungen von Versicherungsleuten an solchen Orten stattfanden. Meist waren es Provinzstädte oder verregnete Dörfer; noch nie hatte er sich auf solch eine Reise gefreut.

Trotzdem, er hatte noch immer keine Ahnung, was er in zwei Stundèn sagen würde, wenn sein Vortrag über *Elektronische Medien in der Risikokalkulation* an der Reihe war. Er hatte nur eine vage Vorstellung, was Risikokalkulation war, er wußte nichts über elektronische Medien, und er hatte kein einziges Wort vorbereitet.

Vor der Abreise hatte er es hinausgeschoben, es gab so viele Gründe dafür: Formulare, die durchgesehen werden mußten, der ständig abstürzende Computer im Büro, die Verhandlungen mit der Kreditabteilung der Bank, die wechselnden Launen seines Vorgesetzten Wöllner. Er hatte beschlossen, sich erst im Flugzeug darum zu kümmern. Aber dort hatte er bloß verträumt dagesessen, an seinem Rotwein genippt und versucht, über die Schulter seines Nebenmannes einen Blick auf die Berggipfel und die Schatten der Wolken auf dem Erdboden zu werfen, und der ungewohnte Alkohol hatte ein Gefühl träger Schwere auf ihn gelegt;

er hatte sich vorgenommen, den Vortrag noch in der Nacht zu schreiben, gleich nach dem Abendessen. Doch das hatte länger gedauert als erwartet, zweieinhalb Stunden lang hatten ihn die bleichen Gesichter, Brillen, schuppigen Haare und viel zu bunten Krawatten der Menschen umgeben, die seine Kollegen waren, und neben ihm hatte eine Frau ohne Unterlaß über Golfregeln gesprochen, über einen Abschlag vom dritten Loch, über Handicaps, über ein *Hole-in-One*, das ihr irgendwann gelungen war, ohne ihm ein einziges Mal die Chance zu geben, das Thema zu wechseln; danach hatte er nur mehr nach dem sich langsam drehenden Bett tasten können, erstmals seit langem unfähig, wach zu bleiben, und war Sekunden später in eine Dunkelheit ohne Träume gefallen. Heute morgen hatte er den von trockenen Hustenanfällen unterbrochenen Begrüßungsworten des Gastgebers zuhören müssen, dann hatte es Mittagessen gegeben, und jetzt hätte er endlich Zeit gehabt … Jetzt! Er preßte das Handtuch an sich und schüttelte den Kopf. Es galt als Auszeichnung, daß Wöllner ihn mitgenommen hatte. Wenn sie sich blamierten, würde er ihm nicht verzeihen.

Unschlüssig drehte sich Julian nach dem Hotel

mit seinen Markisen, Balkonen und altmodischen Vordächern um. Dann blickte er zum See. Für morgen, Sonntag, war Regen vorausgesagt, übermorgen mußten sie abreisen. Es war seine letzte Chance.

Das dicke Kind lief schwerfüßig über den Weg und bückte sich nach dem verbeulten Ball. Auf dem Boden lagen Zigarettenkippen, die Wurzeln einer Platane drangen wie braune Adern aus der Erde, eine Eidechse huschte davon und verschwand im Gras. Julian atmete den Geruch der Algen ein. Italien, dachte er; dann noch einmal: Italien. Er rückte seine Brille zurecht und wartete darauf, daß er irgend etwas empfand.

Aber dafür mußte er es fertigbringen, nicht an den Mann von der Kreditabteilung und die Schulden bei der Bank zu denken, nicht an Wöllner, nicht daran, daß er einen Beruf hatte, den er nicht mochte, nicht an Andreas Stimme, als sie ihm gesagt hatte, daß er nicht mehr anrufen sollte. Er wischte sich den Schweiß ab. Er hörte ein dumpfes Geräusch, dann rollte ihm langsam der Ball vor die Füße: gefleckt und schlecht aufgepumpt. Er blickte auf das Kind, das mit hängenden Schultern unterhalb des Weges stand. Dann auf den Ball. Dann ging er weiter.

Der Kies knirschte unter seinen Schuhen. Sein Vortrag. Alle würden ihn anblicken, und er würde aus den Augenwinkeln Wöllners Glatze sehen, die Stirn ungeduldig gerunzelt, und dann würde er Luft holen und auf ein Wunder warten, das nicht eintreffen würde, und die Stille würde sich ausdehnen, und fast würde er glauben, es schon hinter sich zu haben, um plötzlich zu erkennen, daß es noch nicht Erinnerung war, daß der Augenblick noch währte ... Er blieb stehen. Der Weg endete in einem lehmigen Platz am Ufer.

Kein Mensch war zu sehen. Auf dem Boden lagen ein schmutziges Handtuch, eine flachgetretene Blechdose, weggeworfene Zigaretten. Im Wasser, etwa zwanzig Meter vor ihm, hob und senkte sich eine Boje. Die Wellen rollten träge heran, zogen sich zurück, kamen wieder, zogen sich zurück. Julian zögerte. Dann begann er sich auszuziehen.

Ein Luftzug berührte kühl seinen Rücken, instinktiv zog er die Schultern zusammen. Sein Bauch und seine Brust waren bleich; er bemerkte es mit einem Gefühl von Scham und war froh, daß niemand ihn sah. Als er einen Moment lang nackt war, klopfte sein Herz, fast erwartete er, daß jemand auftauchen und ihn anstarren würde, aber schon war es vorbei, und er trug seine Badehose, und natürlich war niemand gekommen. Er faltete seine Kleider, legte sie vorsichtig auf den Boden und nahm die Brille ab.

Wie immer, wenn er das tat, lief ein Zittern durch die Welt, die scharfen Konturen zerliefen zu einem Nebel von Farben und unklaren Bewegungen. Plötzlich wäre er am liebsten wieder zurückgegangen, er hatte immer noch Zeit, ein paar Schlagworte aneinanderzureihen, neue Medien, nicht zu unterschätzende Bedeutung, mit der Zeit gehen, unterschiedliche Techniken der Kalkulation, zunehmende Bedeutung des Virtuellen, ganze Wirtschaftszweige neu entstanden, irgend etwas in dieser Art, es würde peinlich werden, er würde wohl stottern und ein paarmal von vorne beginnen müssen, Wöllner würde es übelnehmen, aber es würde doch besser sein als gar nichts! Er legte die Brille auf das Hemd und zog seine Schuhe aus. Es war nicht leicht, die Schleifen zu öffnen, wenn man sie nicht sah. Er schob seinen Zimmerschlüssel tief in den rechten Schuh.

Es fiel ihm schwer, barfuß zu gehen. Der Boden war sandig und nachgiebig, etwas stach in seine

Ferse, er breitete die Arme aus, um das Gleichgewicht nicht zu verlieren. Er fühlte sich lächerlich.
Dünn und bleich, nicht gewöhnt an die Nacktheit,
halb blind. Wieder fiel ihm Wöllner ein, wieder der
Mann von der Bank, Andreas heisere Stimme am
Telefon. Er machte einen großen Schritt und spürte
die Kälte des Wassers an den Knöcheln, den Wa-
den, den Knien und – er hielt die Luft an – am ganzen Körper. Er ging in die Knie, streckte die Arme
vor und stieß sich ab.

Sein Körper schnellte nach vorne. Er beugte den
Kopf zurück, aus irgendeinem Grund kam es ihm
wichtig vor, daß seine Haare trocken blieben; er
schwamm mit gleichmäßig festen Bewegungen,
schon wurde die Kälte erträglich. Eine grundlose
Freude stieg in ihm auf, sinnlos und stark, nicht zu
unterdrücken, fast hätte er laut gelacht. Das Wasser
um ihn wurde dunkler und auch kälter. Aber das
machte ihm nichts mehr aus, sein Körper hatte sich
daran gewöhnt. Das Ufer war schon weit entfernt.
Vielleicht täuschte er sich auch, seine Augen waren
nicht mehr verläßlich. Aber war da nicht eine Boje
gewesen?

Er legte sich auf den Rücken.

Der Schatten eines Vogels zog mit langsamen

Flügelschlägen vorbei. Die Sonne blendete, er schloß die Augen. Und übermorgen mußte er wieder nach Hause, in den Regen und den Herbst, für nächste Woche hatte der Wetterbericht sogar den ersten Schnee angekündigt; auf einmal erschien ihm das kaum mehr vorstellbar. Er bewegte langsam die Füße, spürte, wie seine Hände auf dem Wasser lagen, die sanfte Kraft, die ihn trug und tragen würde …

Was? Er rieb sich die Augen und blickte um sich. Worüber war er erschrocken? Das Ufer war kaum noch zu sehen, er mußte fast in der Mitte des Sees sein; er hatte nicht gemerkt, daß er so weit hinausgeschwommen war. Wie spät war es? Er wollte auf die Uhr sehen, aber dann fiel ihm ein, daß er sie im Hotelzimmer gelassen hatte. Er überlegte, kniff die Augen zusammen und schwamm los. Die Sonne stand bereits niedriger als vorhin, auch blendete sie stärker, er wußte nicht, wieviel Zeit vergangen war.

Das Ufer näherte sich nicht. Seine Schultern und Arme taten weh, in seinen Atem hatte sich ein pfeifender Ton gemischt. Hinter den Hügeln sah er einen spitzen Berg, der ihm noch nicht aufgefallen war; er blinzelte und konnte ihn schon nicht mehr finden. Der Schmerz in seinen Armen war stärker geworden. Er mußte langsamer schwimmen, er durfte keinen Krampf bekommen; ein Krampf, das hatte er gelesen, war gefährlich. Er strich sich die Haare aus dem Gesicht. Er hörte sich keuchen. Etwas griff nach seinem Fuß.

Aber es war nur eine kalte Strömung. Trotzdem kam er aus dem Rhythmus, das Wasser schlug über seine Augen, sein Atem ging hastig. Er schwamm mit aller Kraft und fühlte, daß etwas ihn festhielt. Das Ufer näherte sich nicht. Er machte hektische Bewegungen, schnappte nach Luft, schluckte Wasser und bekam einen Hustenanfall, spuckte. Und wieder spürte er den Griff nach seinen Beinen; er riß die Arme hoch, die Geräusche verstummten, kehrten wieder, verstummten, und er spürte, wie er sank.

Speere aus Licht, schräg in die Tiefe fallend. Ein grüner Schein, der in Dunkelheit überging. Ein Fisch schnellte vorbei. Ein Baumstamm, verästelt noch, aber schon halb aufgelöst, umspannt von dünnen Fasern.

Er riß sich los, kam wieder nach oben. Sog Luft ein, hustete, spuckte, und auf einmal war ihm klar, daß es um alles ging. Zum ersten Mal schien das

Ufer näher gerückt. Er konnte gerade noch die Luft anhalten.

Ein Schwarm wirbelnder Flecken, Fische vielleicht oder auch Blätter, die geraden Lichtstrahlen, ein Würfel aus Metall, ein weggeworfener Kühlschrank, dessen Tür offenstand, überzogen mit Rost. Er kämpfte. Strampelte, als hielte ihn ein stärkerer Gegner fest; sehr weit über sich sah er die Wasseroberfläche, ein fernes Flimmern. Er strampelte, stieg oder sank, er wußte es nicht, schluckte Wasser, sein Herz bäumte sich auf, er schluckte mehr und stieg auf und streckte die Arme aus, und plötzlich begriff er, daß es die falsche Richtung war. Etwas berührte seinen Hals, weich und fast angenehm, der Arm einer Schlingpflanze, er wollte sie abstreifen, schlug danach, wollte schreien, aber das war nicht möglich, und mit einem Mal war alles umgefaltet: Der Himmel hing unter den in die Tiefe gekrümmten Umrissen der Berge, und er spürte, daß er aufstieg, dem Gras zu, dem sich zersetzenden Baumstamm, den langen Halmen, den Schlingpflanzen, dem Kühlschrank; ein Schwarm Fische änderte zuckend seine Richtung. Er fühlte noch die Taubheit, die durch seinen Körper rann ...

Dann nichts mehr.

Jemand fragte etwas, er antwortete. Er bewegte sich durch ein Labyrinth von Spiegeln, zu vielen davon, und aus jedem blickte sein Bild. Um ihn wuchsen Pflanzen, aufwuchernd und fett, die er noch nie gesehen hatte. Fragen in einer Sprache, die ihm bekannt vorkam, aus der er aber nicht übersetzen konnte, wie Musik oder reine Gedanken, er versuchte zu antworten, aber er verstand seine Antwort nicht, er versuchte es noch einmal. Und plötzlich begriff er.

Er öffnete die Augen.

Eine Ameise betastete einen Grashalm, auf dem ein Wassertropfen glitzerte. Sie kletterte hinauf, der Halm schwankte unter ihrem Gewicht, ein Windstoß ließ ihn zurückfedern. Wenn man den Tropfen scharf ins Auge faßte, wurde die Sonne darin rund und deutlich. Eine Biene flog auf; durch die Grashalme war das Blau des Himmels zu sehen. Die Biene flog an seinem Kopf vorbei, ihr Brummen kam ihm sehr laut vor; sie landete, verblaßte und löste sich in Luft auf. Plötzlich mußte er sich übergeben.

Wellen von Krämpfen schüttelten ihn, immer wieder und wieder. Dann war es vorbei, er wollte sich aufrichten, aber er war zu schwach, ein Schwindelanfall warf ihn von neuem zu Boden. Seine Knie fühlten sich weich und nachgiebig an, es dauerte lange, bis er auf die Füße kam. Dort drüben, kaum auszumachen ohne Brille, mußte das Hotel sein, darunter die Stelle, von der er losgeschwommen war. Er wußte noch, daß die Strömung ihn hinuntergezogen und daß er gekämpft und dann aufgehört hatte zu kämpfen; und da tauchten Bilder vor ihm auf, Bruchstücke von Erinnerungen, er wußte nicht, woher. Ein fast leeres Kaffeehaus, ein Raum voll tanzender Menschen, ein Eisenbahnwaggon in der Nacht, ein Schneesturm und eine ferne Küstenlinie. Aber vor allem: Wie war er ans Ufer gekommen?

Er hatte Kopfschmerzen. Sein Atem ging in kurzen Stößen, seine Brust war eingeschnürt. Die Halme wichen vor ihm zurück, Mücken tanzten in der Luft, ihm war, als ginge er durch einen Traum. Seine Hände und Knie zitterten, Steine schnitten in seine Fußsohlen. Aber dort, wo er sie vermutet hatte, lagen seine Kleider. Er bückte sich, von der Bewegung wurde ihm wieder schwindlig; er wartete, bis es vorbeiging. Er tastete nach der Brille, fand sie und setzte sie auf.

Als erstes sah er die Zigarettenkippen, die Metalldose, die beiden Handtücher: seines und das andere, durchtränkt von lehmiger Feuchtigkeit. Die Hügel schienen deutlicher und zugleich ferner gerückt, als wäre der See gewachsen. Er streckte die Hand nach dem Hemd aus, und im selben Moment fiel ihm ein, daß er den Vortrag versäumt hatte. Sie würden es ihm übelnehmen, niemand würde ihm glauben, daß er fast ertrunken war, niemand hatte es gesehen; damit so etwas akzeptiert würde, mußte man wohl auch dabei sterben. Verschwinden und niemals wiederkehren wie dieser Mann voriges Jahr. Er wäre also nicht einmal der erste gewesen ...

Julian erstarrte.

Ihm war kalt. Er stand bewegungslos und spürte, daß die Zeit verging und Wolken über den Himmel zogen und die Farbe des Sees sich veränderte und die Sonne sank. Er hielt den Atem an. Langsam zog er die Hand zurück.

Er verschränkte die Arme und richtete sich auf. Seine Zähne klapperten vor Kälte. Noch immer war niemand zu sehen, er mußte sich beeilen; er mußte es jetzt tun, sofort oder gar nicht. Jetzt!

Aber er stand immer noch hier. Nein, es war unmöglich! Man träumt davon, tagsüber, oder wenn man in schlaflosen Nächten einnickt, doch man tut es nicht. Er nahm seine Brille ab und legte sie zurück auf das Hemd. Er griff in den Schuh und holte den Zimmerschlüssel hervor. Dann begann er zu laufen.

Und lief, barfuß und schwankend, in die Richtung des Hotels. Seine linke Fußsohle tat weh, er mußte in eine Glasscherbe getreten sein, aber als er stehenblieb und sie befühlte, war da kein Blut. Er lief weiter. Von der Bewegung wurde ihm wärmer; er kniff die Augen zusammen und wandte seine ganze Konzentration auf, um sich nicht zu verirren: Er lief durch einen Nebel, wie er ihm nur im Fieber begegnet war oder an dem einen Schultag, als jemand, er wußte bis heute nicht wer, seine Brille versteckt hatte; instinktiv streckte er die Hände vor – aber er stürzte nicht, und etwas in ihm fand den Weg. Er unterdrückte einen Schmerzenslaut, seine Zehen waren gegen den Fußball gestoßen, der rollte davon, sprang den Abhang hinunter, kam einmal und noch einmal und ein letztes Mal auf, dann hörte Julian ein Platschen, dann nichts mehr. Man kann es noch lassen, wiederholte etwas in ihm, noch lassen, immer noch lassen, es wird nicht funktionieren!

Er erreichte das Hotel. Die Mauer ragte schief vor ihm auf, er tappte an ihr entlang, auf der Suche nach dem Hintereingang. Es war unwahrscheinlich, daß er jemandem begegnen würde: Die Hauptsaison war vorbei, außer den Kongreßteilnehmern, die nun alle im großen Saal waren, vor sich hin blickten, Strichmännchen malten, an ihren Brillen rückten und an etwas anderes dachten oder nichts, gab es keine Gäste mehr. Und die Angestellten bereiteten das Abendessen vor. Er fand eine Tür, stieß sie auf und stand in einem niedrigen Gang, in dem es nach Ammoniak und Urin roch.

Alles hing davon ab, ob er ungesehen in sein Zimmer kam. Sein Herz pochte zu laut, er war immer noch völlig durchnäßt. Der Boden fühlte sich kalt und schmutzig an, der Gestank war kaum auszuhalten. Dort war ein Treppenaufgang; er suchte nach dem Lichtschalter, fand ihn nicht und stieg im Dunkeln hinauf. Das erste Stockwerk: Er hörte Stimmen, Schritte näherten und entfernten sich; er ging schnell weiter.

Das zweite Stockwerk. Ein Gang, Türen rechts und links, es tat gut, wieder auf einem Teppich zu stehen. Er kniff die Augen zusammen, für einen Moment nahmen die Lampen ihre alten Formen an, dann wurden sie wieder zu hellen Flecken. Die Zimmernummern: Dort war eine Zwei, eine Null … Natürlich, alle in diesem Stockwerk begannen mit einer Zwei. Eine Vier, eine Fünf, eine Sieben, wo war die Neun? Dort. Er beugte sich vor, und es war wirklich die Zweihundertneun. Er tastete nach dem Schlüsselloch, rutschte am Messingbeschlag ab, einmal und noch einmal, am Ende des Ganges öffnete sich eine Tür. Er schloß die Augen, faßte den Schlüssel an der Spitze – ganz ruhig, dachte er, ganz ruhig –, fand das Schloß, taumelte hinein und schlug die Tür hinter sich zu.

Er setzte sich auf das Bett und preßte die Hände an den Kopf. Er stand auf und setzte sich. Er stand wieder auf. Auf dem Tisch lagen seine Brieftasche, der leere Notizblock, auf dem jetzt sein Vortrag hätte stehen sollen, zwei Kugelschreiber, seine Armbanduhr. Er öffnete die Brieftasche. Es war genug Geld darin; er tauschte immer zuviel um, wenn er verreiste, für Notfälle, die er sich nicht klar vorstellen konnte, aber diesmal war es gut so. Im zweiten Fach steckte noch immer ein Foto von Andrea und ihm. Aufgenommen vor einigen Monaten, an einem regnerischen Wochenende, das sie in einer Pension auf dem Land verbracht hatten: Zerdehnte Nachmittage, lange Spaziergänge, unendliche Abende vor dem Fernseher und nachts, wenn er es fertiggebracht hatte, für ein paar Stunden einzuschlafen, die immer gleichen Träume von Wüsten, von Dünen unter mehreren Sonnen, von einem verfärbten Meer.

Er ging ins Badezimmer und trocknete sich ab. Er durfte sich nicht erkälten! Es war weniger ein Entschluß als ein Wissen, weniger Wissen als ruhige Klarheit: Er würde es tun.

Er zog sich an. Hose, Hemd und Pullover, das Jackett ließ er im Schrank, sein Fehlen hätte auffallen können. Zum Glück hatte er ein zweites Paar Schuhe dabei. Aus seiner Brieftasche nahm er zwei Geldscheine; für das Zugticket würden sie reichen, dann mußte er eine Möglichkeit finden, an mehr zu kommen. Er nahm den Schlüssel seiner Wohnung und legte seinen Paß neben die Brieftasche, die Uhr und das Foto.

Er blickte zum Fenster. Es dämmerte schon, die Hügel standen dunkel vor dem Himmel, im Wasser zerrann das letzte Rot. Mehrere Boote bewegten sich darauf, in regelmäßigen Abständen voneinander, als ob sie nach etwas suchten. Aber nicht nach ihm, jetzt noch nicht. Auf dem Parkplatz unter dem Fenster kniete ein Mann neben einem Auto. Julian wandte sich ab. Im Wandspiegel sah er das Bett, den Tisch, die offene Tür zum Badezimmer. Das Telefon läutete.

Er streckte die Hand nach dem Apparat aus und zog sie zurück, es läutete wieder. Er sah das Telefon an, sah zum Fenster, sah an die Decke, es läutete wieder. Er nahm seine Badehose, öffnete die Tür, trat hinaus, zog den Schlüssel ab und ging zur Treppe und hinunter in den ersten Stock. Er hörte Stimmen und blieb stehen, aber sie entfernten sich; er lief weiter ins Erdgeschoß. Den Gang entlang – nach rechts, nein, das war die falsche Richtung, nach links! Er stieß die Tür auf und trat ins Freie.

Die Luft war warm und trocken, bald würde es dunkel sein. Er preßte die Badehose an sich. Das mußte ziemlich lächerlich aussehen, aber der Mann neben dem Auto kümmerte sich nicht um ihn. Er drehte sich langsam, fand die Richtung und begann zu laufen. In zwanzig Minuten würde er am Bahnhof sein.

Er sah auf seine Schuhe hinunter, spürte den harten Boden unter seinen Füßen. Neben ihm zogen die Pinien wie dunkle Säulen vorbei, ein Auto überholte ihn: zwei Rückscheinwerfer, schrumpfend, eben noch sichtbar, jetzt schon nicht mehr. Sein Körper kam ihm schwerelos vor, sein Atem ging gleichmäßig, am liebsten wäre er immer so weiter gelaufen. Egal wohin. Nur immer weiter.

II

Zum ersten Mal weggelaufen war er mit elf Jahren. Es war ein gewöhnlicher Morgen gewesen. Aus dem Schlaf gerissen vom Geräusch des Weckers: für einen Moment noch Teil des Traumes, dann schon etwas, das ihn davon trennte, und dann war ihm der Traum aus dem Gedächtnis geglitten, und er konnte nicht zurück. Ein bitterer Geschmack im Mund, ein schmerzhaft trockenes Gefühl tief im Hals. Die Lichtstreifen in der Jalousie, auf dem Schrank das Plastikraumschiff mit seinen vorge- reckten Kanonen, darüber ein Bild von Yoda, das er vor ein paar Monaten mit Reißnägeln befestigt hatte. Der Gang zum Badezimmer: der Teppich, weich unter den nackten Füßen, der elektrische Rasierapparat seines Vaters, die Parfumflaschen seiner Mutter, die schadhafte Kachel, deren Bruch- stelle er beim Zähneputzen immer anstarren muß- te, ohne zu wissen, warum.

Seine Mutter schlief lange wie immer, sein Bru- der war schon zur Schule gegangen, der Vater arbeitete bereits im Büro. Und der Hund war vor einem halben Jahr gestorben, immer noch war es schwer vorstellbar, daß er nicht mehr dasein sollte, nicht hier und nicht anderswo, gänzlich aus der Welt. Wie jeden Morgen goß er Milch über die Cornflakes und hörte dem Knistern zu, mit dem sie sich zu Brei zersetzten. Er aß ein paar Löffel, dann stand er auf, packte seine Tasche, bemühte sich, kein wichtiges Buch zu vergessen, bisher war das selten gelungen. Die Tasche war so schwer, daß es weh tat, sie auf den Rücken zu heben. Die Haustür fiel hinter ihm ins Schloß.

Es war noch dunkel, erst in einer halben Stunde würde die Sonne aufgehen. Vor ihm war ein Haufen trockener Blätter, er ging mitten hindurch, es gefiel ihm, wie das Laub in alle Richtungen flog. Dann mußte er laufen, um die Straßenbahn noch zu erreichen; er stieg keuchend ein und bemühte sich, dem Blick von Peter Bohlberg auszuweichen, der grinsend, mit seinem runden Muttermal auf der Stirn, in der letzten Reihe saß. Während der Fahrt wäre er fast wieder eingeschlafen, Hauswände, Plakate, Laternen ruckelten an den Fenstern vorbei, noch kaum wirklich im kalten Frühlicht.

Er stieg aus und blickte an der Fassade der Schule hinauf. Ihre vom Regen schwarze Mauer, die schwer zu bewegende Eingangstür, die Kunststoffböden und der Geruch nach Pullovern und Reinigungsmitteln. Die erste Stunde, Mathematik. Dr. Möhlbrand hatte einen Schnurrbart und lispelte, seine Hand zitterte beim Schreiben: an der Tafel Zahlen, die sich, murmelte man sie halblaut vor sich hin, anfühlten, als ob man altes Knäckebrot aß. Dann Buchstaben, die aber zu gerade, zu säuberlich waren, um echte Buchstaben zu sein. Aus dem Schwamm rann dunkles Wasser, langsam füllte sich das kleine Metallbrett, auf dem er lag; vor dem Fenster bewegte sich eine Baumkrone, unter der Tischplatte klebten von den Jahren gehärtete Kaugummis, die Zeiger der Wanduhr zogen unendlich langsam ihren Kreis. Er würde noch acht Jahre hierherkommen müssen, eine Zeitspanne fast so lang wie sein ganzes Leben, und dabei schien es ihm doch, als ob er immer gelebt hatte. Thule, sagte die Deutschlehrerin, so nannte man früher den jeweils abgelegensten Teil der Welt. *Ultima Thule*, der fernste Ort. Heute setzt man Thule mit Norwegen gleich, wißt ihr, wo Norwegen ist, und über das unbekannte Gebiet auf den Karten schrieb man *hic sunt dragones*, hier wohnen Drachen, aber das glaubt heute niemand mehr, Drachen gibt es nicht, und alle Orte sind erforscht. Bis übermorgen lernt ihr das Gedicht *Es war ein König in Thule*, und dann erklärt ihr mir … Die Glocke unterbrach sie, und obwohl er sitzen blieb, vorgebeugt und aufmerksam, sprach sie nicht weiter.

Während er auf die verspätete Straßenbahn wartete, fing es an zu regnen. Dann kam sie doch, er stieg ein, und als sie gerade losfuhr, riß Peter Bohlberg ihm die Schultasche weg. Er wollte sie festhalten und spürte Peters Arm um seinen Hals; er fiel, der gerillte Boden prallte hart und schmutzig gegen seine Handflächen. Eine Frau quiekte empört, ein bärtiger Mann rief »Na na!«, und während sein Kopf auf dem Boden lag, hörte er das Geräusch der Räder auf den Schienen, Tonnen von Metall, die sich gegeneinander preßten, und ein angebissener Apfel rollte sehr langsam an ihm vorbei. Er stieß seinen Ellenbogen in Peters Magen, einmal, noch einmal, selbst erschrocken wie fest, noch einmal; der Griff um seinen Hals wurde schwächer, die Bahn hielt, es war schon die nächste Station. Julian riß sich los, griff nach seiner Tasche und sah Peter zurücktaumeln; erst einen Moment später begriff er, daß er selbst ihn gestoßen hatte.

Er sprang hinaus, der Bärtige rief noch etwas, aber die Türen hatten sich wieder geschlossen, und er verstand es nicht mehr, schon fuhr die Bahn los. Auf dem Milchglasvordach trommelte der Regen, er stellte sich darunter und wartete. Er wußte, das Schlimmste lag noch vor ihm.

Das Mittagessen. Seine Mutter saß ihm gegenüber und sah ihn zerstreut an. Dann lächelte sie, und er versuchte zurückzulächeln und wußte, daß sie sich jetzt fragte, warum er nicht war wie sein Bruder, und aus irgendeinem Grund wollte ihm der Apfel in der Bahn nicht aus dem Kopf gehen. Sie stand auf und ging nebenan auf und ab, er hörte sie Gegenstände nehmen und wegstellen, einmal fiel etwas hinunter, dann telefonierte sie, sehr schnell, mit gepreßter Stimme und so leise, daß ihre Worte auch dann nicht zu verstehen waren, wenn man sein Ohr gegen die Tür preßte und den Atem anhielt. Auf seinem Teller lagen ein Kotelett, Erbsen und ein Häufchen Kartoffelpüree. Wenn man die Gabel darin drehte, nahm es immer eigentümlichere Formen an. Eine Erbse rollte davon, fiel über die Tischkante, er folgte ihr mit den Augen, verlor sie und fand sie drüben in der Ecke wieder. Noch Jahre später sollte er sich dort sitzen sehen, die Tür betrachten, den Teller, das Fenster, wieder den Teller, die Erbse.

Und dann sah er sich aufstehen und gehen.

Im Flur nahm er seine Jacke vom Haken; er hätte lieber eine Markenjacke gehabt wie die anderen in der Schule, aber das hätte er ihr nie erklären können. Seine Mutter rief etwas, er antwortete nicht, aus dem Garderobenspiegel sah ihn ein blasses, ihm nicht sehr ähnliches Gesicht an. Er hörte noch einmal seine Mutter, dann fiel die Haustür hinter ihm zu.

Von einem Plakat starrte ihn ein uniformierter Mann mit einer Pistole in der Hand an: *Teil Zwei* stand darunter, den ersten kannte er nicht, und er wußte auch nicht, um welchen Film es ging, trotzdem hätte er ihn gern gesehen. Es regnete noch immer, doch nicht sehr stark, nur ein Prickeln im Gesicht und ein Gefühl von Feuchtigkeit, das sich im oberen Bereich des Rückens verlor. Er hätte sich die Kapuze über den Kopf ziehen sollen; aber er tat es nicht, niemand konnte ihn dazu zwingen. Seine Haare wurden naß, sein rechtes Schuhband stand offen, schleifte nach und wurde dunkel vor Feuchtigkeit. Vorbei an einer Bäckerei: ihr Geruch brannte sich in sein Gedächtnis, und zeit seines

Lebens sollte das Aroma warmen Mehls ihn zurück in diesen Moment versetzen. Vorbei an einem Supermarkt, an einer Buchhandlung, deren Türen sich öffneten, einen Mann ausspuckten und sich wieder schlossen; im Fenster stapelten sich Kinderbücher, auf denen grinsende Bären, Clowns, ein Dachs mit einem Schlapphut gemalt waren; er zwang sich, nicht zu lange hinzusehen, es hätte ihn interessiert, aber er war dafür schon zu alt. Im Glas der Schaufenster ging ein durchsichtiger Doppelgänger neben ihm: ein zu langer Hals, nasse Haare, abstehende Ohren. Er haßte diese Ohren, betrachtete sie jeden Tag, befühlte sie, hoffte, daß sie schrumpfen würden, hatte schon einmal, an einem besonders hellen und harmlosen Mittag, den Teufel um Hilfe gebeten. Aber auch das hatte nicht gewirkt.

Der Regen war noch schwächer geworden, nur mehr eine Schraffur in der Luft, kaum zu spüren. Er überquerte eine und noch eine Straße, ging nach rechts, nach links und wieder nach rechts und hatte die Orientierung verloren. Ein großes Gebäude, das ihm bekannt vorkam, Fenster wie dunkle Spiegel, Werbetafeln, eine Zigarette neben einem riesigen Coca-Cola-Schriftzug: der Bahnhof. Zwei Türen glitten auseinander und ließen ihn hinein.

Marmor und hallende Geräusche, unzählige Menschen, Buchstaben rannen an einer schwarzen Tafel hinab, eine Frauenstimme sagte *Gleis Drei*, dann noch einmal *Gleis Drei*. Er breitete die Arme aus. Plötzlich hatte er den Wunsch, sich zu drehen.

Und weil niemand es verbieten konnte, tat er es. Er fing langsam an und wurde schneller, die Menschen verwandelten sich in ein Gewirr von Schuhen, Mänteln, Köpfen, Schuhen, er drehte sich noch schneller, spürte, wie er gegen etwas stieß, jemand rempelte ihn an, »Paß doch auf!«, noch schneller, und als ihn auf einmal jemand festhielt, wäre er fast hingefallen.

»Bist du allein?« Eine Frau hockte vor ihm, hatte ihr Gesicht in Falten und die Hände auf seine Schultern gelegt. »Brauchst du Hilfe?«

Er tat, als müßte er nachdenken. Er öffnete den Mund, schloß ihn wieder, sah sie an. Und plötzlich, als sie es nicht mehr erwartete, riß er sich los und rannte. Wich Menschen aus, sprang zur Seite, rannte, der Marmor warf das Geräusch seiner Schritte zurück; als er über seine Schulter blickte, war sie schon nicht mehr zu sehen. Eine Rolltreppe hob ihn auf, trug ihn über die Köpfe der Leute, durch ein gläsernes Zwischenreich auf einen Bahnsteig. Ein Kaugummiautomat, gähnende Menschen, ein dürrer alter Mann glotzte in die Zeitung, in einer Ecke lungerten ein paar Jungen, die wie Peter Bohlberg aussahen, nur älter und gefährlicher; er hoffte, daß sie ihn nicht bemerkt hatten. Die Frauenstimme sagte wieder etwas, und ein Schwall abgestandener Luft berührte ihn. Der Zug fuhr ein, bremste und öffnete seine Türen.

Julian stand reglos. Angst stieg in ihm auf, schnürte ihm den Hals zu, füllte ihn ganz. Er ballte die Fäuste.

Dann stieg er ein.

Er war selbst völlig verblüfft. Und als der Zug längst losgefahren und der Bahnhof nicht mehr zu sehen war und Schienenstränge sich voneinander lösten und miteinander verschmolzen und Stromdrähte sich hoben und senkten und die ersten Wiesen sich bräunlich und feucht unter die Häusergruppen mischten, begriff er es immer noch nicht, konnte kaum glauben, daß er es getan hatte. Sein Mund war ausgetrocknet, in seinem Magen hing ein bohrend flaues Gefühl; auf einmal wollte er so sehr nach Hause, daß ihm Tränen in die Augen traten. Die Sitze waren mit abgewetztem Stoff bezogen, in einem Abfallbehälter stapelten sich Blechdosen. Ein dicker Mann sah ihn mit wäßrigem Blick an. Die Waggontür öffnete sich, und der Schaffner kam herein. Julian erschrak so sehr, daß ihm das Atmen schwerfiel. Daran hatte er nicht gedacht.

Ob man ihn jetzt einsperren würde? Am besten, er gab alles zu oder behauptete, er hätte sich verirrt oder sei verloren worden. Der Schaffner kam näher, der dicke Mann nestelte seine Geldbörse hervor und kaufte ihm einen Fahrschein, der Schaffner nickte, leckte sich die Lippen und ging weiter. Draußen stiegen und sanken die Drähte, ein See blitzte auf wie eine Täuschung.

»Nichts zu danken«, sagte der Dicke. Er war blaß, hatte schlaff herabhängende Wangen, hervorquellende Augen und eine zerknitterte Jacke. Aber er sah freundlich aus. »Falls du nicht weißt, wo du hin sollst …«

»Nein danke«, sagte Julian schnell.

»Ich bin auch einmal weggelaufen. Du kannst zu mir. Ich weiß, wie das ist.«

»Ich bin nicht weggelaufen!«

»Na gut. Sicher!« Eine Weile starrte der Dicke vor sich hin; als der Zug hielt, erhob er sich, ging mit schleppenden Schritten zur Tür und stieg aus. Julian sah ihn noch draußen über den Bahnsteig schlurfen, sehr schwer und langsam, traurig lächelnd, dann fuhr der Zug an. Es dämmerte, die Hügel wurden zu scharfgeschnittenen Umrissen. Und dann kämpfte sich Julian durch einen Schneesturm, Flocken trieben vorbei, er kam nicht weiter, stolperte und fiel, er riß die Augen auf, der Waggon war nun fast leer. Bei der nächsten Station stieg er aus.

Es war nur ein kleiner Bahnhof, der Name auf der Tafel war ihm unbekannt, auch hier gab es den Mann in Uniform, *Teil Zwei*. Er setzte sich auf eine Bank. Menschen standen neben Koffern, ohne sich zu bewegen, ein Mann lehnte an einem Imbißwagen, niemand sprach. Er wartete. Niemand sprach oder rührte sich.

Er beugte sich vor. Über den Schienen strahlten Rotlichter, etwa hundert Meter entfernt stand ein Zug. Auf den Gleisen gegenüber lagen Zigaretten, Stoffetzen, eine verformte Kugel, ein Sack. Und eine Hand.

Er kniff die Augen zusammen, der Moment

dauerte an, wollte nicht vorbeigehen. Es war ein kleines Ding, fünffingrig und weiß, das unter seinem Blick noch einmal und dann noch einmal zu einer Menschenhand wurde.

Und der Moment verging doch. Und jetzt war der Sack ein Oberkörper, und aus dem Schatten tauchten, wie aus einem Vexierbild, zwei Beine auf. Und die verformte Kugel war ein Kopf. Gesichtslos, haarlos, ein unbegreiflich fremder Gegenstand. Aber ein Kopf.

Ein Säugling stieß einen fröhlichen Schrei aus. Eine Durchsage blökte aus dem Lautsprecher, war nicht zu verstehen, verhallte. Es war der Zug auf der Gegenseite gewesen, und alle hier mußten es gesehen haben, eben erst, bevor er angekommen war. Julian rieb sich die Stirn, seine Hände fühlten sich an wie aus Metall, es fiel ihm schwer, die Finger zu bewegen. Ein Polizist ging mit großen Schritten vorbei, blickte um sich, schien nach etwas zu suchen. Julian blinzelte. Er beschloß, daß es ein Traum sein mußte, eine Einbildung oder Erfindung, nichts, das Bedeutung hatte, und daß die kalte Starrheit in seinen Gliedern andere Gründe haben mußte oder keine; mit einem Ruck stand er auf. Eine Frau sah ihn vorwurfsvoll an. Mit aller

Kraft brachte er es fertig, sich abzuwenden und loszugehen.

Und dann hatte er sich wohl vom Bahnhof entfernt. Denn als nächstes, als hätte dieser Anblick einige Minuten aus seiner Erinnerung oder aus der Zeit selbst gelöscht, fand er sich auf einer Bank, in einem Park, zwischen einem Reiterdenkmal und einem abgeschalteten Brunnen. Ein Mann in einem Overall zog pfeifend einen Rechen hinter sich her. Dann wurde es still.

Es ging kein Wind, es regnete nicht mehr, und seine Jacke hielt ihn einigermaßen warm. Nur an ein paar Stellen zeigten sich Sterne, winzig und so weit entfernt, daß sie kaum wirklich schienen. Hatte er das tatsächlich gesehen – einen toten Körper, zerteilt, dort auf den Schienen? Schon jetzt kam es ihm fern vor, nicht recht glaubhaft, es paßte nicht zu den anderen Dingen, zu diesem Tag, zu Schule, Cornflakes und Straßenbahn, zu den Erbsen zu Mittag. Aber noch immer waren seine Glieder starr, noch immer zitterten seine Hände.

Nun war auch der Mond zu sehen, matt und nicht ganz sauber. Er rieb sich die Augen. Hatte er geschlafen? Und dann sah er wieder diese Hand vor sich und wußte, daß er es sich nicht eingebildet hatte. Etwas raschelte hinter ihm, aus dem Augenwinkel sah er eine Bewegung; er drehte sich um, aber dort war nichts. Im Brunnen neben ihm schwebte das Spiegelbild einer Laterne. Und plötzlich wußte er, daß er sterben würde.

Nicht heute und wohl auch nicht so bald, aber irgendwann: ein Körper war zerreißbar, zerstörbar wie irgendein Ding. Er betrachtete seine Hände, zwei graue Umrisse, schmal und sehr fein gezeichnet, und als er die Ähnlichkeit erkannte, wurde seine Furcht so stark, daß sie ihm wie ein Teil der äußeren Welt vorkam, wie etwas aus der Dunkelheit, die ihn umgab. Er schwitzte, trotz der Kälte. Er schloß die Augen. Er versuchte, sich auszumalen, daß er nicht mehr da wäre, nirgendwo, an keinem Ort; und er begriff, daß er sich eben das nicht ausmalen konnte, daß er in seiner Vorstellung immer anwesend sein mußte, auf irgendeine Art, und sei es versteckt oder verwandelt in ein Gespenst.

Als er die Augen wieder öffnete, war der Mond gewandert, hinter sich hörte er ein Scharren, ein Vogel wohl oder ein Eichhörnchen, aber das Geräusch erschreckte ihn nicht. Er ballte die Fäuste und stand langsam auf.

Er ging aus dem Park, die Straße hinunter, eine

Ampel blinkte gelb, nirgendwo fuhr ein Auto. Er blieb vor einem Schaufenster stehen: Radioapparate, eine Waschmaschine, davor die Umrisse seines Spiegelbildes; aber auf einmal störten ihn seine Ohren nicht mehr. Auf einem der Radios leuchteten die Digitalziffern einer Uhr: eine Null, eine Drei, ein Doppelpunkt, eine Null und eine Sieben. Er betrachtete sie, bis die Sieben zu einer Neun geworden war.

Aus einem Restaurant drang gedämpfter Lärm; Musik, Stimmen, die sich vermischten; unwillkürlich ging er schneller. Neben einem Kaugummiautomaten blieb er stehen. Eigentlich mochte er kein Kaugummi, aber jetzt mußte es wohl sein. Er holte eine Münze hervor, warf sie in den Schlitz und hörte sie durch die metallenen Tiefen des Kastens rollen, einmal, ein zweites und drittes Mal weitergestoßen von unsichtbaren Fingern, schließlich rastete etwas ein, und eine Packung fiel heraus. Er riß das Papier auf, schälte einen Streifen Kunststoff aus der Folie und schob ihn in den Mund. Er schmeckte süß, verformte sich zäh, wurde runder mit jedem Biß. Und als eine Hand seine Schulter berührte, erschrak er nur wenig. Er hatte es erwartet.

Er drehte sich um und sah dem Polizisten ins Gesicht. Er dachte an die Lehrerin, den angebissenen Apfel in der Bahn, an Thule und die Drachen in Ozeanen, die keinen Namen hatten. Und trotz allem war er erleichtert.

»Na?« fragte der Polizist. »Wie heißt du denn?«

Er würde also heimkommen. Sein Vater würde schreien, er würde bestraft werden, Hausarrest oder kein Taschengeld für lange Zeit, seine Mutter würde nicht mit ihm sprechen, und schließlich, was blieb ihnen übrig, würden sie es vergessen. Doch seine Ohren würden ihn nie mehr stören. Er sah den Polizisten an. Dann holte er Luft und nannte seinen Namen.

Später war ihm dieser Moment immer als seine erste Erinnerung erschienen. Natürlich war das unsinnig, es gab unzählige, die viel älter waren, aber sie alle schienen noch nicht ganz ihm, sondern zum Teil einem anderen zu gehören, den er in einem anderen Leben gekannt hatte.

Die meisten waren Bilder, unzusammenhängend, schlecht belichtet, zerfasert an den Rändern. Der Teppich im Wohnzimmer, auf dem er seine Spielsachen verstreute, um zuzusehen, wie sie zu einem insektenhaften Leben erwachten und zueinander hin oder voneinander weg krochen. Eine Ente aus Gummi, ein Soldat mit einem bald schon abgebrochenen Bajonett in Händen, ein Stoffbär mit einem schiefen Hut und ein kleiner Polizist, den er dabei ertappte, wie er sich mit zittrigen Bewegungen in Richtung des Türspalts schob, ein ärgerlicher Fluchtversuch. Er wußte von der stummen Gemeinschaft zwischen ihnen, von ihrem stillen und leicht feindseligen Einverständnis, das ihn ausschloß, und er ahnte auch, daß sie sich über ihn verständigten, wenn er nicht im Zimmer war oder schlief, aber es gab nichts, das er dagegen tun konnte. Ein anderes Bild zeigte seinen Vater, der sehr schnell auf und ab ging, wütend über irgend etwas, er wußte nicht worüber und würde es nie erfahren. Ein anderes das Gesicht seines Bruders Paul, der, die Augen halb geschlossen, den Kopf zurückgelegt, die Marionettensendung im Fernsehen verfolgte. Beide hatten sie geglaubt, daß diese Puppen Nachmittag für Nachmittag nur für sie auftraten, und erfuhren mit verblüffter Enttäuschung, daß jeder sie sehen konnte, jeden Tag, und daß sie nur Stücke aus Holz waren, geschickt bekleidet und beklebt, an Fäden aufgehängt und vor der Kamera mit dem Anschein von Leben erfüllt. Dann seine Mutter, die jemandem einen Brief schrieb. Es war Sommer, er saß auf dem Boden und sah zu ihr auf, ihre Blicke trafen sich, schon wandte sie sich ab, und plötzlich war ihm, als wäre etwas verlorengegangen. Dann stand er auf und ging hinaus. Im Gras fand er halb eingegraben den kleinen Polizisten, der es noch einmal versucht hatte. Er zog ihn aus der Erde, gegen seinen verbissenen Widerstand, und horchte auf die Radiostimmen aus Pauls Fenster: eine Diskussion von Erwachsenen, er verstand nicht, wie man sich so etwas anhören konnte. Und nach dem Abendessen würde er eine halbe Stunde eines Filmes sehen dürfen, bevor sie ihn zu Bett schickten, und noch ein Sommertag würde vorbei sein, kaum zu unterscheiden von den vergangenen und denen, die kämen, nichts würde sich je ändern.

Der Polizist hatte ihn zurückgebracht, und alles war abgelaufen wie erwartet. Sein Vater schrie, seine Mutter ging hinaus, Paul kniff die Augen zusammen und betrachtete ihn nachdenklich, als fiele ihm zum ersten Mal Julians Existenz auf. Sein Vater unterbrach, räusperte sich und schrie weiter. Paul gähnte und ging hinaus. Julian sah unauffällig nach der Wanduhr, der große Zeiger machte drei und vier und fünf Sprünge, sein Vater schrie immer noch, er machte den sechsten und siebten Sprung, der Vater folgte Julians Blick und verstummte. Ein paar Minuten später fand Julian sich im Bett und hörte, wie der Schlüssel sich zweimal im Schloß drehte. Die Möbel zeichneten sich als scharf umrissene Schemen ab, durch die Jalousie sah er, daß es bereits hell wurde. Wenigstens mußte er heute nicht zur Schule. Von draußen hörte er ihre Stimmen, hektisch und schnell, aber er verstand nicht, was sie sagten. Noch einmal sah er es vor sich: die weiße Hand, den Sack, der ein Körper gewesen war, den unkenntlichen Kopf. Aber schon hatte er begonnen, sich daran zu gewöhnen. Er betrachtete seine Hände, und plötzlich mußte er lächeln. Dann schloß er die Augen.

In den nächsten Jahren wurden die Lehrer zahlreicher, die Mitschüler andere, er lernte Latein, Physik, Biologie und daß das Weglaufen nicht half. Als Paul einen Programmierwettbewerb gewann und mit dem Ausdruck gelangweilter Überraschung, den er niemals ablegen konnte, eine Urkunde aus den Händen des Wissenschaftsministers nahm, saßen sie in der ersten Reihe und klatschten, und Julian hätte viel dafür gegeben, jetzt auch dort zu stehen. Nur daß er kaum verstand, was Paul eigentlich getan hatte: Es hatte mit Primzahlen zu tun, mit einem besonders eleganten Verfahren, sie zu finden, und mit dem Commodore 64, der seit einem Jahr in Pauls Zimmer stand. Er mußte Hunderte Stunden davor verbracht haben, im matten Licht des Schwarzweißfernsehers, der ihm als Monitor diente. Jeden Tag hatte Julian ihn so gesehen, aber er hatte nie zu fragen gewagt.

Er hätte nicht sagen können, warum. Aber manchmal schien es ihm, als ob er niemanden kannte, der nicht vor Paul Angst hatte. Die Eltern bestraften ihn nicht, die Lehrer vermieden es, ihn anzusprechen, und gaben ihm gute Noten, als hätte er ein natürliches Recht darauf. Mit zwölf Jahren weigerte er sich, Weihnachten mitzufeiern, mit dreizehn setzte er in einem Gespräch mit dem Schuldirektor durch, daß man ihn vor der Zeit vom Religionsunterricht befreite, mit sechzehn schien er korpulent zu werden; aber das war eine Täuschung, es war bloß etwas Schwerfälliges an ihm, das man besser begriff, indem man ihn für dick hielt. Mit siebzehn zwang ihn der Direktor, an einem *Jugend-programmiert*-Wettbewerb teilzunehmen; er gewann den zweiten Preis für die Ableitung einer Sinuskurve auf dem Commodore Amiga. »Hätte auch der erste sein können«, sagte er, »aber ich hatte zuviel Zeit, es war langweilig. Wen interessieren schon Kurven!«

Julian fragte sich, ob das bedeutete, daß er sich ärgerte. Wahrscheinlich nicht; es schien nichts zu geben, das ihm eine solche Anstrengung wert gewesen wäre. Und sogar in den wenigen frühen Momenten, als Julian ihn hatte weinen sehen (er war hingefallen oder ausgerutscht oder – einmal nur – von Peter Bohlberg geschlagen worden; doch Peter wurde blaß und wich zurück und tat es nie wieder), war das erst nach einer kurzen und konzentrierten Pause geschehen. Als hätte Paul sich zuvor erst daran erinnern müssen, wie menschliche Reaktionen aussahen und daß es manchmal nötig war, sie in sich wachzurufen. Oder sie wenigstens zu imitieren.

Julian hatte keine guten Noten. Er hatte Schwierigkeiten mit dem Rechnen, machte Fehler beim Schreiben, langweilte sich in den meisten Stunden bis zur Erschöpfung, und die Lehrer ließen an ihm ihren Ärger darüber aus, daß sein Bruder für sie unerreichbar blieb. Einmal, er wußte nicht warum, ließ die Biologielehrerin ihn nachsitzen, und an

diesem Nachmittag – Handwerker lärmten draußen, Krähen wehten am Fenster vorbei, und er
hörte die Schreie vom Fußballfeld – las er zum
ersten Mal in einem Buch von Spinoza. Er verstand
kein Wort, aber der Ton vollständiger Gelassen-
heit, die unbegreiflich höfliche Arroganz dieser
Sätze, von denen jeder einzelne nachzuhallen
schien, als würde er in einem großen Gewölbe ausgesprochen, beeindruckten ihn. Er las von Sub-
stanz und Attributen, von Modi, die einander
begrenzten, und als er plötzlich Tränen fühlte, lag
es bloß am Versagen seiner Augen: Immer wieder
in der letzten Zeit hatte die Welt sich unverläßlich
gezeigt, Gläser und Tassen waren vor seiner Hand
zurückgewichen, Türklinken hatten sich seinem
Griff entzogen, und Buchstaben hatten ihn durch
geschickte Verrenkungen über ihre wahre Natur
getäuscht. Der Augenarzt ließ ihn in einen Apparat
blicken, wechselte Linse um Linse und fragte in
immer gleicher Betonung: »Siehst du was? Na?
Siehst du was?« Und er bekam seine erste Brille. Er
ging damit zur Schule, sofort fegte Peter Bohlberg
sie ihm mit einem gut gezielten Ballwurf vom
Gesicht, und er bekam seine zweite, die billiger
aussah und ein wenig schief saß. Er las Spinozas

Ethik fertig und begann wieder von vorne. Dauernd wurde da etwas bewiesen, klar und unwiderleglich, nur daß er nie verstand, was; man hätte ständig irgendwo nachblättern müssen, alles war sehr kompliziert und gewissermaßen von ihm abgewandt, wie ein Gespräch, das er nicht hören sollte. Er begann von neuem, verstand immer noch nichts und nahm das Buch mit in die Ferien.

Sein Vater hatte etwas von einem Rettungsversuch gesagt und ein Haus in den Bergen gemietet. Es schmiegte sich an den Hang und hatte ein Dach aus sehr alten Schindeln, unter denen winzige Spinnen lebten, die nachts ins Innere kamen und die man, wenn man Licht machte, noch für Sekundenbruchteile aus dem Rand seines Blickfelds fliehen sah. Julian mußte ein Zimmer mit Paul teilen, hörte nachts dessen Atemzüge, drehte sich von der einen auf die andere Seite und konnte zum ersten Mal nicht einschlafen. Stunde um Stunde verging, im Fenster sah er den Mond über die Schatten der Berge klettern. Bilder, Worte ohne Zusammenhang, aus Werbesprüchen gerissene Halbsätze, Melodien aus dem Fernsehen und die leeren Gesichter von Schauspielern: ein ratternder Leerlauf seines Bewußtseins, das nicht darin nachlassen wollte, auf sich selbst einzureden. Zum ersten Mal begriff Julian, daß er selbst etwas anderes war als diese Stimmen in ihm, als die Bilder und Laute, die seine Erinnerung aufbewahrte, etwas anderes auch als seine Gedanken. Er schloß die Augen, öffnete sie wieder und fand, daß es hell war und daß er doch geschlafen haben musste. Benommen setzte er sich auf. Pauls Bett war bereits leer, die Laken waren glatt, als hätte keiner darin gelegen.

Bei Tag, während Paul gähnend auf dem Balkon saß und feindselig in die Sonne blickte, als könnte er es nicht erwarten, daß sie wieder verschwände, las Julian in der *Ethik*. Er verstand immer noch nichts, außer daß alles eines war, aber irgendwie dann wieder nicht, und daß es Freiheit nicht gab, oder eigentlich doch, denn sie bestand eben darin, zu begreifen, daß sie nicht da war. Er nahm sein Fahrrad, schob es auf einen Hügel – Paul schlenderte, die Hände in den Taschen, hinter ihm her –, stieg auf den Sattel, und stieß sich vom Boden ab. Er fuhr erst langsam, dann immer schneller, er spürte die Unebenheiten des Bodens und daß er gleich fallen würde, noch nicht, und jede Sekunde, noch nicht, war ein Triumph seines Gleichgewichts, noch nicht, und er wollte aufschreien vor

Freude. Da kippte der Hang weg, und für einen Moment war der Himmel unter und das Gras über ihm, und ein Flugzeug erstarrte im nassen Blau. Dann lag er da, und all das war schon Erinnerung, und verwundert spürte er, wie auch die Gegenwart, sein aufgeschürfter Ellenbogen, die Halme vor seinen Augen und das Flugzeug, das er immer noch sehen konnte, sich schon in etwas Vergangenes verwandelte. Von der Hügelkuppe hörte er Pauls Lachen.

Der Rettungsversuch war wohl erfolglos gewesen. Auf der Heimfahrt sprachen seine Eltern kein Wort miteinander, sein Vater saß schweigend am Steuer, seine Mutter blickte konzentriert auf eine Landkarte, die sie während der ganzen Fahrt nicht weglegte, und Paul zeichnete mit gerunzelter Stirn Strichmännchen, die lange Schatten warfen, auf ein Blatt Papier.

Eine Woche später packte sein Vater zwei Koffer. Als er sie in den Flur tragen wollte, stolperte er, fiel die Treppe hinunter und blieb mit rotem Gesicht und einem häßlich verdrehten Fuß im Flur liegen. Einer der Koffer hatte sich geöffnet und seinen Inhalt, Hemden, Unterwäsche, einen Rasierapparat, mehrere Paar Schuhe, über den Boden verteilt. Der Vater lag da, blickte um sich, überrascht, mit offenem Mund, fast neugierig, und seine Lippen bewegten sich, ohne daß ein Laut zu hören war. Er griff nach einem der Schuhe, drehte ihn in seiner Hand, als hätte er ihn noch nie gesehen, und legte ihn wieder weg. Die Mutter kam die Treppe herunter, ging zum Telefon und suchte die Nummer der Ambulanz. Aber sie fand sie nicht; auch dem Vater fiel sie nicht ein. »Habt ihr die nicht in der Schule gelernt?« – »Doch«, sagte Julian, »sicher!« Aber er konnte sich nicht erinnern. Der Vater machte Vorschläge, wo das lederne Büchlein sein mochte, in das er alle wichtigen Nummern eintrug, und die Mutter suchte, und Julian stand daneben und sah zu. Endlich fand sie es und wählte, verwählte sich, sagte Entschuldigung, wählte noch einmal, ein gebrochener Fuß, sagte sie, jawohl, gebrochen, sieht nicht gut aus, und der Vater nickte und wich Julians Blick aus. Während sie warteten, packte die Mutter den Koffer von neuem, faltete die Hemden, legte Schuhe paarweise zusammen und umwickelte sie mit Zeitungspapier. Julian setzte sich auf die Stufen. Sein Vater hatte die Augen geschlossen, noch immer bewegten sich seine Lippen, Julian hätte gern gewußt, was er da sagte. Es dauerte vierzig Minuten, bis ein weißes Auto vor der Haustür hielt, ohne Sirene oder Blaulicht, und zwei kräftige Männer seinen Vater auf eine Tragbare hievten; der eine starrte übers ganze Gesicht grinsend an die Decke, als gäbe es dort etwas Interessantes, der andere biß sich auf die Lippen und blies die Backen auf. »Ich lasse die Koffer holen!« sagte der Vater noch. Einer der Rettungshelfer sah Julian an, zwinkerte und legte die Hand grüßend an die Stirn.

»Weißt du schon«, fragte Paul, »was du nachher werden willst?«

»Nachher?«

Paul seufzte. »Nach der Schule.«

»Ich weiß nicht.« Julian zuckte die Achseln. »Eigentlich gar nichts.«

»Da hast du Glück, das bist du schon.« Paul lächelte und Julian sah ihn an und versuchte zu begreifen, wie er das gemeint hatte. »Aber mach dir keine Hoffnungen, durchfallen wirst du nicht. Dafür sorge ich.«

Und tatsächlich, er half ihm beim Mathematiklernen. Nachmittag für Nachmittag saßen sie am Eßtisch, Julian hatte noch nie so viel Zeit mit seinem Bruder verbracht. »Zahlen. Wenn du rechnest, geht etwas mit ihnen vor. Achte einfach darauf, der Rest ergibt sich von selbst! Es ist ihr Leben, ein anderes haben sie nicht, und der einzige, der es ihnen geben kann, bist du.«

Und das half. Julian machte seinen Abschluß, bestand und begann, in Vorlesungen zu gehen. Eigentlich gefiel es ihm: Er kritzelte geistesabwesend in linierte Blöcke, kaute an seinem Bleistift und dachte, daß er wohl ebensogut hier sein konnte, im abgetragenen Mittag des Hörsaals, im öden Wabern der Stimme von Professor Kronensäuler, der über Veterings Kommentar zu Pascals Gesetz der großen Zahl sprach, vor Reihen und Reihen von Hinterköpfen, wie irgendwo sonst. Auch hier klebte Kaugummi unter den Sitzen, und vor dem Fenster bewegte sich eine Baumkrone, und auf eine beruhigende Art war es, als hätte nichts sich geändert. Neben ihm saß ein Mädchen. Sie war nicht hübsch, aber sie hatte helle und intelligente Augen, und immer wieder strich sie ihre Haare aus dem Gesicht, und das hinderte ihn daran, sich zu konzentrieren. Sie hieß Clara.

Sie gingen ins Theater, sie gingen ins Kino, sie gingen spazieren, und als ihre Eltern verreist waren, gingen sie zu ihr nach Hause. Ihre Schatten glitten an der Wand des Treppenhauses entlang, irgend etwas fiel zu Boden, eine Tür öffnete sich und ein zerzauster Stoffbär blickte unfreundlich von einem Schrank herab. Clara lachte, und sein Herz setzte einen Schlag aus, als er den Anflug von Schärfe in ihrer Stimme hörte. Er spürte ihre Haare in seinem Gesicht und den Geruch von Shampoo, dann ihr Gewicht auf sich; er wunderte sich darüber, wie schwer sie war und daß ihre Brüste genau so aussahen, wie er es sich vorgestellt hatte; sein Herz raste, und zugleich war ihm, als ob er all dem aus der Ferne zusah. Er tastete nach ihr und hoffte, daß seine Hände von selbst das Richtige tun würden, sie warf ihre Haare zurück, und die nächsten Sekunden löschten die Dunkelheit des Zimmers aus, und er war ein anderer oder niemand, und erst nach einer Weile tauchte wieder das leicht vorwurfsvolle Gesicht des Stoffbären auf, dann die Tür, die immer noch offenstand, und dann, aus nächster Nähe und leicht verschwommen, ihr Gesicht. Als hätte er es noch nie gesehen.

Am nächsten Morgen mußte er früh aufstehen, er hatte in Kronensäulers Seminar sein Referat über Vetering zu halten. Er sprach eineinhalb Stunden über die *Oekonomie*, wesentlich länger als geplant, aber er wollte nicht aufhören. Seine Notizen kamen ihm schwerfällig und erbärmlich vor, zu seiner Überraschung hörte er sich improvisieren, Formeln erfinden, Werke zitieren, die es nicht gab; er war sicher, daß man ihn hinauswerfen würde, aber das war ihm egal. Was war schon dieses idiotische Seminar, was dieses Studium; zum ersten Mal hatte er das Gefühl, daß sich mit dem Leben etwas anfangen ließ. Als er fertig war, war es lange still, dann bat Kronensäuler ihn in sein Büro, wo er ihm einen Stuhl anbot, eine Tasse Kaffee und eine Stellung.

»Ich suche schon lange jemanden, der eine Monographie über Vetering schreibt. Sehr unterschätzter Mann, trotz allem. Wenn Sie promovieren möchten, eine aktuelle Arbeit über ihn wäre notwendig, meinen Sie nicht?«

Julian schwieg. Er wußte so gut wie nichts über Vetering. Aber es war eine Stellung, und so etwas konnte man nicht sofort entscheiden. Schließlich hob und senkte er die Schultern, sah in Kronensäulers Gesicht und sagte leise: »Ja, allerdings. Wirklich notwendig.«

Nur wenige Tage später nahm Paul ein Angebot von *Infotoy*-Software an. Plötzlich und ohne Vorankündigung, und als er es ihm erzählte, hielt Julian es für einen Scherz.

»Aber wieso denn?« rief Paul. »Wenn du nur wüßtest, wieviel Aufwand nötig ist, wieviel Können und Wissen und Überlegung, wieviel *Mathematik*, um so eine Unterhaltung für Analphabeten zu entwickeln! Und keinem nützt es, und es interessiert niemanden. Ist das nicht großartig?«

»Eigentlich nicht«, sagte Julian, »wieso?«

»Es ist wie ein Symbol.«

»Wofür?«

»Ach, keine Ahnung. Nicht so wichtig!« Paul schnaubte, wandte sich ab und sagte nichts mehr. Ein Möbelwagen brachte seine Besitztümer in seine neue Wohnung. Dort blieb er, ging selten aus und arbeitete an Spielen, in denen Außerirdische getötet, Mutanten zerstört, Insekten vernichtet wurden. Er mußte nicht einmal in ein Büro gehen, die Firma erlaubte es ihm, daheim zu bleiben; er war ihr einziger Programmierer, der selbst die kompliziertesten Routinen direkt in Assemblersprache schreiben konnte. Als Julian ihn besuchte, saß er zwischen hohen Papierstapeln in einem weit zurückgekippten Sessel und starrte in die Luft, während sich auf einem übergroßen Bildschirm kleine Männchen bewegten, auf und ab sprangen, kicherten, mit Bällen jonglierten und einander mit einem Ausdruck heiterer Bösartigkeit wegschubsten. Paul war schweigsam und verstört, seine Augen sahen klein und müde aus. Ihn schien etwas zu beschäftigen, über das er nicht sprechen wollte. Ein Bild an der Wand zeigte einen See, Palmen, Berge im Hintergrund, zerfließend in nebliger Helligkeit. Nach einer halben Stunde stand Julian auf und murmelte einen Gruß, er war froh, daß er gehen konnte.

Er öffnete die Wohnungstür, und seine Mutter begrüßte ihn leise. Auch sie sah in letzter Zeit nicht gut aus, seit einigen Monaten kam sie ihm vor wie eine ältere Verwandte ihrer selbst. Das Telefon läutete, sie hob ab und gab ihm mit einer seltsamen Miene den Hörer. Es war Clara, sie wollte ihn sehen, sofort.

Er trat vor die Tür. Die Luft war kalt, und zum ersten Mal in diesem Jahr roch es nach Winter. Er schob die Hände in die Taschen und biß die Zähne zusammen, in dem hilflosen Versuch, seine Fröhlichkeit zu verbergen. Er wußte jetzt, daß er Kronensäulers Angebot ablehnen würde. So billig würde er es nicht machen; jetzt noch nicht! An seinem rechten Schuh waren die Bänder offen und schleiften nach, aber er kümmerte sich nicht darum. Ein Mann trat aus einem Supermarkt und warf ihm einen leeren Blick zu. Ein kaum merklicher Nieselregen hatte eingesetzt, er sog die Luft ein. Nun also doch: Er würde entkommen. Das Gefängnis verlassen, hinausgehen, und niemand konnte ihn zurückhalten. Die alten Seekarten fielen ihm ein, die Drachen, *Ultima Thule*, der fernste Ort.

Er läutete, sofort öffnete sich die Tür, und Clara stand vor ihm. Sie war blaß, ihre Haare waren unordentlich, und für einen Moment – aber sofort erschrak er über sich selbst – fragte er sich, was ihm je an ihr gefallen hatte. Dann bemerkte er ihren Gesichtsausdruck.

»Was ist denn?«

Ihre Blicke trafen sich, ihm wurde heiß. Auf dem Gartenzaun landete ein zerzauster Spatz, starrte ihn aus seinen Nadelknopfaugen an, machte einen kleinen Sprung und flatterte davon, nicht ahnend, daß er für immer in Julians Gedächtnis bleiben würde. Wie auch das Dach des Nachbarhauses, sein gerader Schornstein, das Blech der Regenrinne und der Gesichtsausdruck eines vorbeigehenden

Mannes mit Trenchcoat, Hut, Spazierstock und Aktentasche.

»Bitte!« sagte er heiser. »So schlimm kann es doch nicht sein!«

III

Ihm war, als hätte er noch nie so tief geschlafen.
Julian erinnerte sich nur noch vage an den Bus, der
gestern auf der Straße neben ihm gehalten hatte, an
das freundliche Gesicht des Fahrers, seine einla-
dende Handbewegung. Das war Glück gewesen,
denn zu Fuß hätte er es nicht bis zum Bahnhof geschafft, es war viel weiter, als er vermutet
hatte. Schließlich war er ausgestiegen, taumelnd
vor Müdigkeit, hatte eine alte Frau angerempelt,
sich entschuldigt und bemerkt, daß er die feuchte
Badehose noch unter dem Arm trug, das wich-
tigste Beweisstück, sie mußte verschwinden; er
schleuderte sie nach etwas, das wie ein Abfallbehälter aussah. Es war nicht leicht, den richtigen
Schalter zu finden, wenn man nur verschwommen
sah: ein Beamter verkaufte ihm eine Fahrkarte.
Dann saß er auf einer Bank und sah dem Hin und
Her der Menschen und den Fliegen zu, die zugleich winzig über die Lampen und als ins Riesen-
hafte vergrößerte Schatten über den Boden krab-
belten. Der Zug kam, er stieg ein, setzte sich auf

einen freien Platz, wurde von einer Frau, die reserviert hatte, vertrieben, fand einen anderen, und der Ruck des Anfahrens drückte ihn in die weiche Polsterung. Ein Schaffner, bloß eine Silhouette, körperlos und bläulich, prüfte seine Fahrkarte, Julian fragte ihn nach der Uhrzeit, es war kurz nach halb zehn. Der Schaffner ging weiter und kam nach ein paar Sekunden zurück, um ihm zu sagen, daß sie gleich da sein würden; Julian schüttelte den Kopf und wollte fragen, was das sollte, aber plötzlich war es vor den Fenstern hell – wachsende und schrumpfende Hügel, vorbeischnellende Häuser, ein bleicher Morgen im Herbst –, und als er seinen Nachbarn, der auf einmal ein anderer war, nach der Zeit fragte, erfuhr er, daß es halb zwölf war. Mittags? Jawohl, mittags. Und da setzte sich schon der Bahnhof zusammen, Glasscheiben und Plakate und Gepäckwagen; er riß die Tür auf und sprang hinaus, noch bevor der Zug ganz zum Stillstand gekommen war. Und hier stand er und blickte um sich und begriff noch kaum, daß er wirklich am Ziel war.

Am Ziel. Seine Glieder schmerzten immer noch, vom schnellen Aufstehen war ihm schwindlig. Die Rolltreppe brachte ihn in die große Halle. Lärm und Menschen, der Geruch von Pizza und Bratfett und dort oben, nicht lesbar ohne Brille, die Tafel mit den Abfahrtzeiten; die Frauenstimme aus dem Lautsprecher war vielleicht noch die gleiche wie damals – aber nein, das war nicht möglich, Fahrpläne änderten sich, die Aufnahmen mußten regelmäßig erneuert werden. Er wandte sich zum Ausgang, trat jemandem auf den Fuß, entschuldigte sich, die Glastüren glitten auseinander, und er stand im Freien.

Es war kalt und windig. Er hob die Hand, und Sekunden später bremste ein Auto vor ihm; er sah es nur unscharf, aber der Farbe nach mußte es ein Taxi sein. Er trat darauf zu, öffnete die Tür des Wagenschlags und setzte sich. Der Geruch der Ledersitze, Aufkleber mit Ziffern neben dem Armaturenbrett, das schnurrbärtig runde Gesicht des Fahrers. Es war wirklich ein Taxi.

Julian nannte seine Adresse, der Fahrer nickte. Wahrscheinlich hatten sie erst heute morgen zu suchen begonnen, jetzt ungefähr würden sie seine Kleider finden, seine Schuhe, die Brille vor allem, dann würde der Rezeptionist sich erinnern und erzählen, daß er ihn noch gewarnt hatte. Sie würden seine Zimmertür öffnen und sein Gepäck, die

Brieftasche und den Paß finden. Dann würden sie Boote ausschicken und die ganze Fläche des Sees nach ihm absuchen; es war sinnlos, aber es wurde immer getan, die Versicherungen verlangten es.

Der Wagen bremste und bewegte sich nicht mehr, sie standen im Stau. Die Summe auf dem Taxameter war schon sehr hoch. Der Fahrer hatte plötzlich eine Zigarette im Mund und sah Julian im Rückspiegel an. Julian sah ihn an, er sah weg, Julian sah weg, der Fahrer sah ihn an. Der Rauch hing grau über ihren Köpfen. Julian sah wieder hin, der Fahrer sah weg.

»Würden Sie bitte nicht rauchen?«

»Natürlich!« Der Fahrer rührte sich nicht, seine Finger schlugen im Takt einer unhörbaren Melodie auf das Lenkrad, er machte keine Anstalten, die Zigarette loszuwerden.

»Lassen Sie mich aussteigen!« sagte Julian

»Was?«

»Ich steige aus.«

»Gut«, sagte der Fahrer gleichgültig. »Bitte!« Julian warf einen Geldschein auf den Beifahrersitz, öffnete die Tür und sprang auf die Straße. Er blickte sich um, der Fahrer hatte das Fenster heruntergekurbelt und sah ihm nach; er schnippte die

Zigarette weg, und sie flog in weitem Bogen davon. Julian ging schneller, dann noch schneller, dann begann er zu laufen. Etwas war anders als sonst, etwas Wichtiges, aber er wußte nicht was. Und erst nach einer Weile begriff er, daß es schneite.

Wirklich: Winzige Flocken, die nicht liegenblieben, die sich auflösten, sobald sie den Boden berührten, schon nach wenigen Sekunden nahm man sie nicht mehr wahr. Und dort war schon seine Straße, sein Haus, die Fenster seiner Wohnung im zweiten Stock. Er stieß die Haustür auf und lief mit gesenktem Kopf die Treppe hinauf, seine Schritte kamen ihm viel zu laut vor. Er durfte auf keinen Fall einem Nachbarn begegnen!

Als er die Wohnungstür aufschließen wollte, fiel der Schlüsselbund mit einem bösartigen Klirren zu Boden, im Stockwerk über ihm öffnete und schloß sich eine Tür, er begann zu schwitzen. Er verfehlte das Schloß von neuem, der Schlüssel rutschte ab, er zwang sich, tief ein und auszuatmen, wie gestern im Hotel. Dann gelang es, der Schlüssel drehte sich, die Tür ging auf.

Er horchte. Hatte er etwas gehört? Plötzlich kam ihm der Verdacht, daß er nicht allein war, daß jemand hier auf ihn wartete. Er machte einen

Schritt in den Flur, der Fußboden knackte, noch einen. Im Wandspiegel zeichnete sich seine Gestalt ab, der Schrank hinter ihm, zwei schief hängende Bilder. Er ging ins Wohnzimmer.

Der Fußboden knackte. Im Spiegel bewegte sich sein Abbild, er sah einen Schrank und zwei Bilder in bräunlichen Rahmen, beide hingen schief; er war immer noch im Flur. Die Verwirrung nahm ihm den Atem. Er riß, noch einmal, die Tür zum Wohnzimmer auf ...

Tatsächlich, das Wohnzimmer. Aber es schien größer als sonst, länglich und verkrümmt. Die verschwommenen Flächen von Sofa und Stuhl, der Tisch, die an der Decke pendelnde Lampe; wieso bewegte sie sich? Wieder schien es ihm, als ob er etwas wahrgenommen hatte, aber eigentlich war es kein Geräusch gewesen, eher eine Bewegung in der Stille selbst. Von der Straße war nichts mehr zu hören.

Er zwang sich weiterzugehen. Wieder knackte es im Fußboden, vermutlich ein Dielenbrett. Nur gab es hier keine Dielenbretter. Er kniff die Augen zusammen und konzentrierte sich auf den Schrank, die zweite Schublade von oben. Als er auf ihn zuging, machte der Schrank einen schwachen

Versuch zurückzuweichen. Aber Julian war schneller, bekam die Schublade zu fassen, riß sie auf und tastete nach seiner Ersatzbrille. Er fand sie und setzte sie auf. Für eine Sekunde geschah nichts. Dann wichen die Gegenstände zurück, schrumpften in ihre alten Konturen, ins matte Licht seiner Wohnung, wie er sie kannte.

Und es war alles noch da. Tisch und Schrank, der Teppich, der Stoß mit den Fotokopien von Formularen aus dem Büro, der Papierkorb, nicht geleert vor seiner Abreise, voll von bekritzeltem Papier, der schon verblichene Stoffbezug der Couch, daneben der grüne Stapel der noch übrigen Exemplare von *Vetering: Person, Werk und Wirkung*, die er vor einem Jahr dem Verlag abgekauft hatte, damit sie nicht eingestampft wurden. Er fühlte sich wie ein Eindringling, jemand, der hier nicht sein sollte und einen stummen Vorgang durch seine Anwesenheit unterbrach. Er ging zurück in den Flur. Aus dem Wandspiegel betrachtete ihn ein junger Mann. Julian hob seine Hand, der junge Mann tat das gleiche, und aus irgendeinem Grund beruhigte ihn das.

Die Luft im Schlafzimmer war abgestanden, auf dem Nachttisch lag Staub, sehr deutlich zu sehen im schräg einfallenden Licht. Über dem Bett hing ein Bücherbord, darauf in zwanzig dicken Bänden, ledergebunden und abstoßend wuchtig, die *Opera Completa* Veterings, gesammelt und herausgegeben von der holländischen Akademie der Wissenschaften 1850 bis 1874, mit ihren unangenehm kleinen Buchstaben, zu vielem Latein, all den mathematischen Symbolen, Unmengen von Briefen und entlegenen Abhandlungen, die er hätte kennen sollen und nicht kannte. Gegenüber, unter dem langen Riß in der Zimmerdecke, hing eine alte Seekarte, die er vor Jahren in einem Antiquariat gekauft hatte: schwarze Tinte auf weißem Grund, die Küstenlinie eines Kontinents, nautische Daten in einer Notation, die er nicht verstand, und ein sehr fein gezeichneter Schlangenkopf, der mit spitzen Ohren aus dem Wasser lugte.

Er nahm den letzten der Vetering-Bände und schlug ihn auf. *In diesem Moment erwählt die Seele sich aus dem Chaos ihrer Erinnerungen einen Gefährten, von welchem sie bis zur Schwelle – allerdings nicht darüber hinaus – begleitet zu werden vermeint. Wie mir offenbar wurde (ich bitte Sie, nicht zu fragen, wie) ist es diese Entscheidung, die, so nebensächlich sie auch erscheinen mag, in Wirklichkeit doch ...*

Julian schloß das Buch und schüttelte halb belustigt den Kopf. Der arme, verrückte Alte – wieviel Zeit hatte er an ihn verschwendet! Er öffnete die Schublade des Nachttischs: Taschentücher, Schlaftabletten, ein Stoß Briefe von Clara. Er nahm ihn und wog ihn in der Hand. Am liebsten hätte er ihn mitgenommen. Doch dann legte er ihn zurück und schloß die Schublade.

Im Flur erschrak er von neuem über den Mann im Spiegel. Ein Fremder, deutlich jünger als er, der mit ruhiger Neugier seinen Blick erwiderte. Julian hob langsam die Hände, für eine endlose Sekunde schien es, als ob der andere die Bewegung nicht mitmachen würde … Dann tat er es doch. Julian beugte sich vor, betrachtete seine Augen – blau und konzentriert, von den Brillengläsern unmerklich verkleinert –, bis seine Stirn das Glas berührte. Und plötzlich hatte er das Gefühl, daß sie die Plätze getauscht hatten, daß er das Abbild des anderen und nicht dieser seines war, in einer geometrisch umgefalteten Welt, seinem Flur dort drüben täuschend nachgebildet. Der andere trat einen Schritt zurück, wandte sich ab und ging langsam zur Tür; Julian sah ihm nach, das Glas beschlug von seinem Atem. Er sah ihn die Tür öffnen und hinausgehen, und dann war er allein und starrte dorthin und begriff nur allmählich, daß er selbst es gewesen sein mußte, der gegangen war, er selbst. Er rieb sich die Augen, trat zurück und lehnte sich an die Wand. Er vermied es, in den leeren Spiegel zu sehen. Er atmete schwer.

Er horchte. Und plötzlich, als hätte seine Aufmerksamkeit sie angezogen, näherten sich Schritte. Kamen die Treppe herauf, wurden lauter, noch lauter, stockten.

Er wartete darauf, daß sie sich entfernen würden, weiter aufwärts, aber es war nichts mehr zu hören. Einen Moment versuchte er noch mit aller Kraft zu glauben, daß das etwas anderes bedeutete als das, was es bedeuten mußte, daß er sich geirrt hatte. Dann hörte er schon den Schlüssel. Metall, das auf Metall kratzte und nicht hinein konnte, weil der andere Schlüssel von innen steckte. Die Klinke bewegte sich, und mit einem Ruck sprang die Tür auf.

Sie sahen einander an. Julian war schwindlig. Und so brauchte er eine Weile, bis er dieses Gesicht mit dem zurückweichenden Haaransatz, den breiten Lippen und den kleinen, scharfen Augen wiedererkannte; ihm war, als stünde ein Fremder vor ihm.

»Das …« Er räusperte sich. »Das überrascht dich jetzt, nicht wahr?«

»Ach«, sagte Paul, »sicher weniger, als du glaubst.«

IV

Wenn er später, in den Nächten ohne Schlaf, an diesen Nachmittag zurückdachte, war er nicht mehr sicher, ob es wirklich geregnet hatte, oder ob das feuchte Grau über Himmel, Erde und Luft nur ein nachträglicher Zusatz seiner Phantasie war. Aber er sah noch deutlich vor sich, wie sie ihren Mantel anzog und zweimal den rechten Ärmel verfehlte, wie er nach ihrem Kragen griff und ihr half. Und hörte immer noch die Worte, mit denen sie ihm sagte, was er natürlich schon vermutete, was seinem Schrecken nichts hinzufügte als die blasse Färbung der Gewißheit.

Dann gingen sie die Straße hinauf und hinunter, immer wieder hinauf und hinunter, bis er das Gefühl hatte, die zwölf schwarzen und drei grünen Mülltonnen, den weggeworfenen Gummireifen, die vier parkenden Autos und das Häufchen Hundedreck am Rand des Bürgersteigs besser zu kennen als irgend etwas auf der Welt. Sie schob ihre Hand unter seinen Ellenbogen; er sagte nichts, aber sie spürte doch, daß das nicht passend war, und zog sie wortlos wieder zurück. Und immer wieder starrte er auf das offene Schuhband hinunter; es jetzt zuzubinden war einfach nicht mehr möglich. Die Gelegenheit war vorbei, so etwas konnte man nicht nachholen.

Auch an ihr Gespräch erinnerte er sich nur mehr ungefähr, viel vager als an die zwölf schwarzen und drei grünen Tonnen, den Reifen und die Autos. Sie hatte auf seinen halbherzigen Einspruch mit einem Entsetzen reagiert, das ihn zwang, zu versichern, sie hätte ihn falsch verstanden, völlig falsch! Dann sprach sie eine Weile sehr schnell und konzentriert, als hätte sie es sich vorher zurechtgelegt. Es sei gewiß keine Katastrophe. Sie würde das Studium unterbrechen, er würde die Stellung annehmen. Man hatte ihm doch eine Stellung …? Ja, antwortete er leise, räusperte sich, wiederholte: Ja, das hatte man. Der Regen strich als feuchtes Prickeln über sein Gesicht, einmal wäre er fast in den Hundedreck getreten, und eine Pfütze, das fiel ihm auf, hatte die Form eines menschlichen Kopfes mit großer Nase und einem sehr langen Kinn. Dann hörte er ihr wieder zu und fragte sich ungläubig, ob all die Dinge, von denen sie sprach, all diese Begriffe aus dem Leben erwachsener Menschen, jetzt wirklich eine Bedeutung für ihn hatten.

»Sieh mal«, sagte sie, »die Pfütze sieht aus wie ein Kopf.«

Er sah ihr Gesicht, die Falten, die plötzlich darin erschienen waren, das Zittern um ihre Mundwinkel, und er war nicht sicher, ob er richtig gehört hatte. Schließlich brachte er sie an das Gartentor, verabschiedete sich, sagte das, was zu sagen war, versprach, heute noch anzurufen, jawohl, heute noch, *heute,* und ging durch den Regen – falls es wirklich regnete – nach Hause zurück.

»Ich muß mit dir sprechen«, sagte seine Mutter.

»Jetzt nicht!« Sie wollte etwas erwidern, aber er legte ihr die Hand auf die Schulter und schob sie sanft zur Seite; das hatte er noch nie getan, doch seine neue Situation schien es zu erlauben. In der Nacht schlief er nicht. Er saß auf dem Bettrand und betrachtete die von der Lampe auf die Wand gezeichnete Schattenlinie. Er griff zum Telefon, wählte eine Nummer und legte auf, bevor Paul sich gemeldet hatte. Nebenan hörte er seine Mutter mit Gegenständen hantieren und leise reden wie zu jemand Unsichtbarem oder zu sich selbst, dann, kurz nach Mitternacht, mußte sie eingeschlafen sein. Er trat ans Fenster, der Himmel war dunkel und hoch, er konnte keine Sterne sehen, der Wind faßte nach seinen Haaren. Plötzlich hatte er den Wunsch, hinauszugehen. Und dann einfach immer weiter, geradeaus.

Er setzte sich, blätterte in Spinozas *Ethik*, fand nichts, das ihm gefiel oder half. Er nahm Veterings *Oekonomie:* Tabellen, Symbole, noch mehr Tabellen, dann die *Ausgewählten Briefe*, schlug sie auf, wieder zu, wieder auf. Wie war das noch? *Es ist mir allerdings zur Gewißheit geworden, daß menschliches Fährnis sich analysieren läßt wie der Fortgang einer minder originellen Funktion: finde ihre merkwürdigen Punkte, lege ein Diagramm an, und dann wundere dich nicht, wenn die Muster, welche du auffindest ...* Er blätterte weiter, mit dem unangenehmen Gefühl, daß sich jemand über ihn lustig machte. Und hier der dritte Brief an Arnauld, in Kronensäulers holpriger Übersetzung: *Es hat mir wohlgetan, von Ihnen zu lesen. Ihre Ansichten sind immer interessant, so auch Ihre Meinung über das, was Sie ›jene Stunde‹ nennen. Darf ich gestehen, daß ich mir den entscheidenden Augenblick manchmal als die Entdeckung ausmale, daß die Welt, die einen Menschen fest zu umgeben scheint, bereits seit einer*

Weile die Emanation seines Bewußtseins ist, daß er sein Sterben gewissermaßen – versäumt hat? Der Hades, mein Lieber, beginnt hinter der nächsten Straßenecke. Nicht die trübe Parabel von dem Maler, der in seinem Bild verschwindet, im Gegenteil: Ein Wanderer, der langsam und ohne Ungeduld seinen Weg durch eine winterliche Landschaft sucht. Doch während er geht, fühlt er die Luft um sich zu Ölfarbe gerinnen, und er sieht die Berge und den Himmel und vielleicht die Küstenlinie eines fernen Meeres in ein Gemälde erstarren, von dem er selbst nur ein leicht zu übersehender Teil ist, und plötzlich begreift er, und damit erst hat sein Weg sich geschlossen. Und antworten Sie mir bitte nicht mit einem Verweis auf die Unerbittlichkeit der Zeit, diese ist verformbarer, als Ihre wirrsten Träume es demonstrieren könnten. Ich werde das zu gegebener Zeit ausführen, im übrigen viel Glück, mögen Ihre Beschwerden sich auflösen wie ein Irrtum. Ich verbleibe mit allen Grußformeln...
Julian schloß das Buch. Er legte sich hin und faltete die Hände im Nacken, das Bett ächzte unter seinem Gewicht. Nebenan fiel etwas zu Boden, offenbar war seine Mutter wieder wach. Durch das Weiß der Decke zog sich ein kompliziert verästelter Riß,

der ihm noch nie aufgefallen war. Und während er ihn betrachtete, aufmerksam, als ließe sich aus seinem Verlauf etwas Wichtiges lesen, schien er zu einem anderen Riß an einer anderen Decke zu werden, in einem Raum mit einem Bücherbord und der Reproduktion einer Seekarte an der Wand; und er rührte sich nicht und wartete auf den Schlaf, der seit Stunden nicht kam und noch stundenlang nicht kommen würde, und plötzlich fühlte er sich so stark in jenes andere Zimmer zurückversetzt, in die schon ferne Nacht, in der ihm klar geworden war, daß alles sich ändern würde, daß ihm der Atem stockte.

Er zog die Hände unter dem Nacken hervor, sie waren taub und gefühllos geworden; er schüttelte sie, bis das Blut kribbelnd zurückkehrte. Es kam immer wieder vor, daß er träumte, keinen Schlaf zu finden; diesmal hatte er sich sogar eingebildet zu lesen, aber er wußte nicht mehr, was es gewesen war. Er wußte, daß er in dieser Nacht nicht mehr einschlafen würde. Wie lange war es nun her, seit das Kind gestorben war?

Im Grunde war es nicht einmal gestorben, es hatte das stumme und in sich selbst eingeschlossene Dasein eines Dinges geführt bis zu dem Abend, als ihn der Anruf einer atemlosen Krankenschwester in die Klinik geholt hatte, auf einen weißen und kahlen Gang, auf dem er alleine stand und wartete und sich dafür schämte, daß er weder Angst noch Aufregung empfand, nur Müdigkeit und ein wenig Langeweile. Hin und wieder öffnete und schloß sich die Tür, ein Arzt ging hinein oder kam heraus, sehr schnell und mit einem konzentrierten Gesichtsausdruck, der ihm zeigen sollte, daß jetzt nicht der Zeitpunkt war, Fragen zu stellen; am liebsten hätte er ihnen allen gesagt, daß sie sich keine Sorgen zu machen brauchten, daß er nichts fragen wollte, daß er sich nicht einmischen würde und gelassener war, als es in so einem Moment gestattet war. Er versuchte, sich den Tod dieses fremden Wesens vorzustellen, vielleicht noch ausgestattet mit Schwimmhäuten und Kiemen, eher Chimäre als Mensch, das von seinem Blut, von seiner Art sein sollte. Wie es noch atmete, wie sein Herz gerade noch schlug und jetzt schon langsamer wurde und gleich stocken würde; wenn es nur, dachte er, keinen Schmerz dabei empfand, wenn es ein Stadium des Daseins gäbe, das zu früh wäre für Schmerz, aber er wußte, das gab es nicht. Das Stehen strengte ihn an, er lehnte den Kopf an die frisch gekalkte Wand, er hätte sich gern auf den Boden gesetzt, aber aus irgendeinem Grund hatte er das Gefühl, daß er das nicht durfte, nicht jetzt. Über ihm flackerte eine defekte Leuchtröhre, er blickte auf, und für einen Moment fühlte er sich von dem Anblick hypnotisiert, eine weiche Trägheit legte sich auf ihn, und später, als er schon an ihrem Bett stand und auf ihr feuchtes Gesicht, ihre strähnigen Haare, ihre geschlossenen Lider hinunter sah, war er froh, daß niemand ihn fragte, ob er das Kind sehen wollte; die Vorstellung des leblosen Gnomenwesens machte ihm angst. Er sah sie an und fühlte einen Stich von hilflosem Mitleid; er wollte ihr irgend etwas sagen, etwas Einfaches und Klares. Aber dann war er doch erleichtert, daß sie ihn nicht hören konnte, daß er nach Hause gehen durfte und daß alles an ihm vorbeigegangen war wie ein Spuk.

Natürlich zog er trotzdem in die neue Wohnung. Er hatte jetzt ein Büro in der Universität, er war in der Mitte seiner Monographie über Vetering und konnte nicht mehr zurück. »Sie sollten nicht zu lange brauchen«, sagte Kronensäuler, »sonst kann ich für nichts garantieren. Kürzungen stehen bevor, Sie verstehen?«

»Ja«, sagte Julian, »natürlich! Ich verstehe.« Er arbeitete so schnell er konnte, las nächtelang, füllte Seite um Seite mit Notizen und lernte die bleistiftkratzende Stille der Bibliotheken kennen. Er plünderte alte Bücher, fügte lange Zitate ein, bekritzelte kleine Zettel und erinnerte sich immer öfter nach dem Aufwachen an Menschen mit Perücken, Häuser mit Zinnen, verbrennendes Papier, eine Glaskugel, aus der ihn die runden Augen eines Insekts betrachtet hatten; es schienen die Träume eines anderen zu sein, auf rätselhafte Weise auf ihn übergegangen, er hätte am liebsten Ferien gemacht, aber dazu war keine Zeit. Er reiste in einen schwer erreichbaren Vorort von Den Haag, um Veterings Wohnhaus zu besichtigen.

Der Zug war überfüllt und langsam, die Fahrt länger als erwartet. Er irrte eine Weile durch einander ähnliche Straßen mit immer gleichen rotgeziegelten Backsteinbauten, gardinenlosen, hohen Fenstern, fand den richtigen Bus, fuhr sieben Stationen, stieg aus und wartete eine halbe Stunde, bis das Museum öffnete.

Er war der einzige Besucher, nicht einmal hier schien sich jemand für Vetering zu interessieren. Er ging langsam an den Glasvitrinen entlang und betrachtete beschriebene Papierstücke – die Schrift war zunächst sehr ordentlich, erst in späteren Jahren schief und gehetzt, gegen Ende panisch –, Erstausgaben, Federkiele und eine kleine Lupe, von der das Gerücht ging, Spinoza hätte sie geschliffen. Vor dem Fenster war ein Parkplatz mit zwei Autos und einem abgekoppelten Anhänger, in die Platte des Schreibtisches hatte jemand *Hey, Hallo!* geritzt. Hier also hatte Vetering zwanzig Jahre gewohnt, hier war er auf und ab gegangen, hatte an der *Oekonomie* gearbeitet und sich auf seinen Spaziergängen, die Quellen bezeugten es, so unglaublich oft Gliedmaßen gebrochen, als wäre es ihm einfach nicht möglich gewesen, auf die Kanten, Schwellen und Widerstände der empirischen Welt Rücksicht zu nehmen.

Eine Treppe führte in den ersten Stock. Das Schlafzimmer: ein kahler Raum, erfüllt vom Geruch nach Staub. Julian musterte beklommen das winzige Bett. In einer Vitrine lagen ein Notizblock, ein Abakus und ein rund geschliffenes Stück Bernstein. Er beugte sich vor: Es gab Sandkörner darin, erstarrte Wirbel, ein Stück Holz und eine Fliege, die zwei fein geäderte Flügel ausbreitete. Eine Weile betrachtete er sie, als müßte er sich an etwas erinnern. Dann wandte er sich ab und ging in das letzte Stockwerk hinauf.

Es kostete ihn Überwindung, über die Schwelle zu treten. Außer einer schmalen Bank standen hier keine Möbel. Es kam ihm seltsam vor und nicht recht passend, daß man in diesen Raum durfte wie in jeden anderen. Er zögerte, dann setzte er sich auf die Bank.

Gegen Ende hatte Vetering sich verändert. Forscher sprachen nicht gern darüber, Fachleute ignorierten es, Mediziner hatten ein paar Aufsätze publiziert; es ließ sich nicht viel damit anfangen. An einem verschneiten Winternachmittag hatte er einen Spaziergang gemacht, war gestolpert und einen niedrigen Hügel hinuntergerollt. Er war aufgestanden, hatte den Schnee von seinen Kleidern geklopft und war eilig nach Hause gegangen, wo er alle Ausgaben seiner Schriften sowie ein fast fertiges Manuskript, *Das Universalprinzip des Handels,* verbrannt hatte. In den nächsten zwei Jahren veröffentlichte er keine Zeile, verließ das Haus selten und wusch sich nicht mehr. Eine Abordnung von Professoren aus Amsterdam berichtete bestürzt von einem kleinen, unrasierten, unverständliche Laute ausstoßenden Männchen, das sie zunächst für einen Einbrecher und dann für ein wunderliches Faktotum gehalten hatten. In dieser Zeit schrieb er seine lateinische Abhandlung *Per Spaeculum*, eine Schrift, deren Eleganz und scheinbare Klarheit auf das seltsamste dem offensichtlichen Wahnsinn ihres Verfassers widersprach, der etwa behauptete, daß ein Sterbender noch tagelang durch die allmählich unwirklicher werdende Welt seiner Einbildungen irren könne oder daß die fesselnde Kraft der Schwere keine Gewalt habe über den Geist eines freien Menschen. Um das zu demonstrieren, lud er einen Notar, zwei Astronomen und einen Landschaftsmaler als Zeugen ein und führte sie in das oberste Stockwerk seines Hauses. Dort war er auf die Sitzbank gestiegen (jawohl, auf diese, unwillkürlich stand Julian auf) und hatte eine Rede von unwirklicher Schönheit gehalten, vom Notar später aus dem Gedächtnis rekonstruiert, in der es um Leichtigkeit, Mut, die Verformbarkeit des Festen und die menschliche Freiheit ging; niemals brachte es Julian in seinem Büro oder im bedrängenden Weiß seiner Wohnung fertig, sie zu lesen, ohne daß ihm Tränen in die Augen traten. Dann war Jerouen Vetering, bedeutendster Universalgelehrter seiner Generation, Urheber der modernen Statistik, Briefpartner von Leibniz und Mitentdecker des Differentialkalküls, von der Bank gesprungen, hatte das Fensterbrett erklommen, die Arme ausgebreitet und sich abgestoßen. Eine Sekunde später war sein Kopf auf dem Straßenpflaster zerschellt.

Julian stellte sich ans Fenster, sah auf den Parkplatz hinunter, trat schnell wieder zurück. Es war bezeugt, daß die vier Männer sich hinausgebeugt und eine Weile in den Himmel geblickt hatten, bevor einem von ihnen die Idee gekommen war, den Blick hinunter, auf den mit Blut und bräunlichen Flecken und Teilen von Gehirnmasse gesprenkelten Boden zu richten. Julian lehnte sich an die Wand, plötzlich fühlte er sich müde; er erinnerte sich an den Anblick eines zerteilten Körpers auf einem fernen Bahnhof. Sonnenstrahlen fielen schräg durch das Fenster, es war lange nicht geputzt worden, man sah deutlich die Schlieren. Und eine Fliege, die nicht anders aussah als die im Bernstein, schlug wieder und wieder und wieder mit einem dumpfen Geräusch gegen das Glas.

Julian fuhr nach Hause und arbeitete weiter. Er tippte eine Seite nach der anderen, bis seine Augen so sehr schmerzten, daß er zu Bett gehen mußte. Er begann zu rauchen, aber es gefiel ihm nicht, der stechend warme Geschmack kam ihm widerlich vor, und er hörte damit wieder auf. In nur zwei Nächten, mit einer Kanne Kaffee neben sich, mit zitternden Händen und zusammengebissenen Zähnen, schwindlig vor Langeweile und Erschöpfung, schrieb er die letzten vierzig Seiten über die Bedeutung der *Oekonomie* für die Entwicklung der modernen Risikokalkulation. Eine Woche später gab er *Vetering: Person, Werk, Wirkung* in Druck, grün gebunden, dreihundert Seiten lang, solide und unhandlich, erschienen im Verlag der Universität. Die Fachzeitschriften reagierten unnatürlich schnell. Ihre Besprechungen waren vernichtend.

Eine sprach von »einer ermüdenden Kompilation«, eine andere von »einem weniger als mittelmäßigen Machwerk«, und die *Studia Spinozana* erklärten, daß »alles, was dieser Autor übersehen, mißverstanden oder vergessen hat, bereits ein eigenes Standardwerk ergäbe«. Eben diesen Artikel fand Julian am nächsten Morgen in seinem Fach, sorgfältig ausgeschnitten und versehen mit einem Fragezeichen in Kronensäulers dünner Schrift.

Er zerknüllte das Blatt, warf es weg, nahm es noch einmal aus dem Papierkorb, und zerriß es. Er ging mit trockenem Mund und weichen Knien in sein Büro, setzte sich, kaute an einem Bleistift und starrte den Stoß von Prüfungsarbeiten an, die er bis übermorgen zu korrigieren hatte. Er rieb sich die Augen. Das Telefon läutete, doch er kümmerte sich nicht darum, um diese Zeit war es normalerweise nur seine Mutter. Wenigstens las sie die *Studia Spinozana* nicht. Wenigstens las niemand die *Studia Spinozana!* Das Telefon hörte nicht auf zu läuten; er seufzte, nahm den Bleistift aus dem Mund, griff nach dem Hörer, und eine unnatürlich gelassene Stimme teilte ihm mit, daß seine Mutter, aber bleiben Sie ruhig, daß seine Mutter, eine Mitteilung, die wir Ihnen machen müssen, daß also seine Mutter sich umgebracht hatte.

Drei Packungen Schlaftabletten, in Wasser aufgelöst. Schon am Mittag zuvor, die Untersuchung der Leiche ergab es, hatte sie sich in den Lehnstuhl gesetzt, den in Julians Erinnerung immer noch sein Vater benützte, hatte die Füße auf den Teppich gestellt, auf dem einst seine Spielsachen zu unheimlichem Leben erwacht waren, hatte das Radio eingeschaltet – aber es lief nur eine Gesundheitssendung, in der ein Arzt Ratschläge gab – und dann Schluck für Schluck, wie man es tun mußte, das Glas geleert. All das mußte etwa zwanzig Minuten gedauert haben, nicht mehr, soviel wußte jedes Medizinlexikon. Julian versuchte, sie sich dort vorzustellen, wartend, während der große Wandspiegel zum letzten Mal ihr Bild festhielt; aber aus irgendeinem Grund fielen ihm nur unpassende Einzelheiten ein, sinnlos und nicht zu überprüfen. Vielleicht hatte ein Nachbar seinen Rasen gemäht, aus einem Schornstein war Rauch gestiegen, ein Auto hatte einen Parkplatz gesucht und der Briefträger drei Kuverts mit Werbung in den Briefkasten fallen lassen. Das Gift betäubte die Glieder, hemmte die Bewegungen und wirkte erst dann, allerdings sehr schnell, auf den Geist. Was hatte sie als letztes gesehen: den Spiegel, das Telefon, den Teppich oder den Gerede ausspuckenden Lautsprecher? Natürlich wußte er das nicht, niemand wußte es, die Augen der Gestorbenen bewahren nichts, ihr Blick bricht wie ihr Bewußtsein, und wo eben noch ein Mensch war, ist schon Sekunden später nur eine Unschärfe, ein Zittern in der Luft, nichts mehr. Sie hatte das Glas noch abgestellt, allerdings nicht auf den Untersetzer aus Stoff, der seit Jahren zu diesem Zweck bereitlag; ihr einziges Zugeständnis daran, daß die Welt am Erlöschen war. Und der Briefträger war wohl pfeifend davongegangen, das Auto hatte seinen Parkplatz gefunden, der Nachbar den Rasenmäher abgestellt, und der Radioarzt hatte die Hörer ersucht, nächste Woche wieder einzuschalten. Nur der Rauch war weiter aufgestiegen, in wechselnden Gestalten, geformt vom stärker und schwächer werdenden Wind. Eine ganze Nacht war ihr Körper dort gewesen, in einem Haus, das leer war und doch nicht, und der Spiegel hatte keine Sekunde ihrer Reglosigkeit versäumt. Gegen sieben war es hell geworden, um halb elf war die Putzfrau gekommen, hatte ihre Handtasche abgestellt, eine Weile überlegt und dann bedächtig nach dem Telefon gegriffen.

»Aber es ist nicht deine Schuld«, sagte Clara.

»Natürlich ist es nicht meine Schuld!« Julian musterte sie. Sie sahen sich nur noch selten: Sie schien größer geworden, erwachsener, ihre Haare hatten eine andere Farbe, und jener Nachmittag, an dem es geregnet hatte oder auch nicht, schien ihm so fern, als hätte er ihn erfunden. »Wie kommst du darauf?«

»Ich weiß nicht!« Sie hob und senkte die Arme. »Ich dachte nur …!«

»Niemand hätte etwas ändern können«, sagte Julian. Er suchte Pauls Blick, aber der antwortete nicht. Er saß vor ihm, stützte den Kopf in die Hände und schien an etwas anderes zu denken.

»Entschuldige«, sagte Paul, »ich habe nicht zugehört!« Er warf Julian einen zerstreuten Blick zu, Clara sog hörbar die Luft ein, stand auf und ging aus dem Zimmer.

»Wir hätten es nicht ändern können«, sagte Julian.

»Wahrscheinlich nicht.«

»Das habe ich doch gesagt!«

»Und wie«, fragte Paul, »läuft es im Beruf?«

»Das ist nicht der Moment ...«

»Natürlich nicht«, sagte Paul. »Entschuldige!«

»Nicht so gut. Ich werde meinen Posten verlieren.«

»Ohne ihn gäbe es keine Computer.«

»Ohne wen?«

Paul warf ihm einen langen Blick zu. »Vetering. Es gibt eine sehr wichtige Abhandlung von ihm, über die Möglichkeit einer universalen Zeichensprache, in der zum ersten Mal eine binäre Formalisierung vorgeschlagen wird. *Diadik* hieß das damals. Aber das weißt du natürlich.«

»Natürlich«, sagte Julian, ein wenig zu laut, weil er es nicht wußte. »Jedenfalls scheint es, daß ich ein paar Fehler gemacht habe. Nichts Wichtiges natürlich!«

Paul sah ihn an. Ein dünnes Lächeln spielte um seinen Mund. »Ich kenne jemanden in einer Versicherung. Es wäre nichts Großartiges, aber …«

»Ich bin schon versichert.«

»Ich meinte, daß du dort arbeiten sollst.«

»Bitte!« Julian räusperte sich. »Nicht jetzt!«

»Natürlich nicht«, sagte Paul, »natürlich nicht.«

»Aber schreib mir die Adresse auf!«

Von jetzt an war das Einschlafen noch schwerer. Das Bild seiner Mutter mit dem Wasserglas in der Hand entstand Abend für Abend neu aus der Dunkelheit. Dann schloß er die Augen und horchte auf das Ticken seiner Armbanduhr und die Geräusche der Straße. Nach einiger Zeit hörte er Stimmen, sehr nahe, doch gerade so leise, daß nichts zu verstehen war. Verzerrte Gedanken stiegen auf; so schien es ihm plötzlich vernünftig, daß man beim Rückwärtsgehen die Zeit mit sich nahm und daß zwei mal drei sowohl sechs ergab als auch neunundsiebzig oder zwölf, und er fühlte, wie er leicht wurde und leichter, und wie der Schlaf sich näherte … und zurückwich. Und er lag immer noch da, mit offenen Augen, wach. Draußen stieg ein fleckiger Mond auf, wanderte seine Bahn entlang, ließ die Sterne deutlicher und wieder blasser werden und sank, bis das Morgenlicht mit dem Lärm der Reinigungsfahrzeuge über die Dächer kletterte. Oft hatte er versucht zu zählen. Immer weiter, aufwärts. Aber es half nicht, und die Zahlen nahmen mit der Zeit etwas bedrohlich Fremdes an, es fiel ihm schwer, wieder aufzuhören; etwas in ihm wollte sich nicht davon lösen. Er dachte an die Versicherung, an seinen neuen Vorgesetzten.

Wöllner war klein, glatzköpfig, intelligent und böse; Julian hatte von Anfang an das Gefühl gehabt, daß er ihn nicht mochte. Bei ihrem ersten Gespräch hatte Wöllner hinter dem übergroßen Schreibtisch in seinem abgedunkelten Büro gesessen, dessen wirkliche Ausmaße man nicht abschätzen konnte, weil seine hinteren Bereiche sich im Schatten verloren. Er hatte sich zurückgelehnt, die Hände hinter dem Kopf gefaltet, die Knie an sich gezogen und mit lauernder Stimme gesagt: »Mein Lieber, ich bin nicht sicher …« Er wartete ein paar Sekunden, als müßte er nachdenken. »Nicht *ganz* sicher, ob Sie hierhergehören, verstehen Sie?«

Julian schwieg. Er verstand genau. Aber er blickte zu Boden und tat, als begriffe er nicht. Wöllner zuckte die Achseln. »Na gut«, sagte er melancholisch, »wie Sie meinen! Ihr Bruder genießt ja großes Vertrauen bei uns. Sie werden sich einarbeiten, es ist nicht schwer, eigentlich tun wir hier nichts … Besonderes. Mahlhorn zeigt Ihnen alles. Und grüßen Sie Ihre Frau!«

»Ich bin nicht verheiratet.«

»Nun, wie auch immer.« Wöllner beugte sich vor, und plötzlich schienen, aber vielleicht war das eine Täuschung, seine Augen schwach aufzuleuchten. Julian bemerkte einen Globus auf seinem Tisch, eine Halterung mit einer teuren Füllfeder, daneben eine kleine Kugel aus Bernstein.

Ihm wurde ein Schreibtisch zugewiesen, ein Computer, ein Telefon und Papierstöße, über deren Bestimmung er sich auch nach Wochen nicht klarwerden konnte. Es waren Berichte von menschlichen Unfällen, Mißgeschicken, Katastrophen, eingefaßt in Berechnungen: Wie viele Leben es dort draußen auch geben mochte, zielstrebig folgten sie den Vorgaben der Mathematik. Einundfünfzig Prozent der Ehepaare würden Kinder haben, vierzig Prozent sich wieder trennen, und zwar im Alter zwischen siebenunddreißig und vierzig. Und bevor das Jahr um war, würde ein Prozent derer, die heute lebten, gestorben sein; davon vier Prozent an Unfällen – im Auto, durch elektrischen Strom, beim Schwimmen –, vierundzwanzig Prozent an Krebs, vierundfünfzig Prozent an krankem Herzen. Was auch immer jeder einzelne entschied oder plante, in diesen Berechnungen stand alles fest.

»Woran liegt es?« fragte Julian, »daß die Ergebnisse nie auffällig abweichen?«

»Bitte?« Sein Kollege Mahlhorn sah ihn ausdruckslos, mit fettigen Lippen an. Sie saßen in der Kantine, es roch nach Essen, zwischen ihnen standen zwei halbvolle Suppenteller.

»Ich meine, wenn alles Zufall ist und sich ändern kann … Ich meine, es *könnte* sich doch ändern, oder?«

»Natürlich.« Mahlhorn tastete nach seiner Serviette.

»Warum passiert es dann nicht? Wenn jedes Leben zufällig ist, warum verdoppelt sich die Summe der Autounfälle nicht oder halbiert sich? Ich meine, *einmal* nur, ganz plötzlich, ohne besonderen Grund?«

»Statistik«, sagte Mahlhorn. »Wenn sie richtig ist, stimmen auch die Voraussagen.«

»Aber es ist doch nicht *zwingend*, daß sie stimmen!«

»Wenn die Anzahl der Daten gegen unendlich geht…«, Mahlhorn wischte sich umständlich den Mund ab, »… nähert sich das Durchschnittergebnis dem Erwartungswert.« Er ließ die Serviette fallen.

»Aber warum halten wir uns daran? Sie und ich und jeder? Verstehen Sie, was ich meine?«

»Also, um ehrlich zu sein…« Mahlhorn schwieg einen Moment. Dann schob er seinen Stuhl zurück und griff nach dem Tablett. »Ich habe nicht die geringste Ahnung!«

Über seinen Schreibtisch hängte Julian das bekannte Porträt von Vetering mit seiner übergroßen, schon zur Entstehungszeit altmodischen Perücke. Eine Weile ging das gut, aber dann machte Mahlhorn abfällige Bemerkungen darüber, und Julian wurde klar, daß es unmöglich war, unter diesem Blick, dieser gerunzelten Stirn und der konzentrierten Aufmerksamkeit dieser Augen irgendeiner Arbeit nachzugehen; er hängte es wieder ab und lehnte es umgedreht gegen die Wand. Unterdessen stand seine Tür halb offen, hin und wieder sah er Andrea mit einem Aktenstoß vorbeigehen. Manchmal wandte sie ihm für einen Augenblick den Kopf zu und war schon weitergegangen, bevor sein Blick den ihren erwidert hatte; dann lächelte er, griff nach seinem Plastikkugelschreiber und war mit einem Mal beinahe zufrieden. Schon lange hatten ihr Blick, die Rundung ihrer Schultern und der Wunsch, seine Hand auf ihren über den Tisch gebeugten Nacken zu legen ihn bis in seine seltenen Träume verfolgt. Es dauerte noch ein paar Wochen, bis er sie ansprach. Bald darauf fuhren sie für ein Wochenende in eine Pension auf dem Land.

Zwei Tage lang gingen sie durch wechselnde Wälder, fuhren auf einem schmutzigen See Boot und betrachteten den Nachthimmel. Ein Foto wurde aufgenommen, auf dem sie unbehaglich lächelnd vor einem verwischten Hintergrund standen. Die Abende waren lang, und es gab wenig zu reden. Nachts träumte er farbig und wirr, morgens lärmten Kinder im Frühstückszimmer, zwischen bestickten Tischdecken und leicht angegrauten Sofakissen. Zu seiner Überraschung war er erleichtert, als sie wieder nach Hause fuhren.

»Kommst du morgen?« fragte sie.

»Wohin?«

Sie antwortete nicht.

»Ach so«, sagte er, »entschuldige! Natürlich komme ich.«

Es war ein heller Tag, der Wind strich durch die Fenster seines neuen Autos. Er hatte es vor kurzem gekauft; er hatte dafür einen neuen Kredit aufnehmen müssen, aber der zuständige Herr in der Bank war so entgegenkommend gewesen wie immer. Andrea empfing ihn an der Tür. Auf den ersten Blick hätte er sie kaum erkannt; sie kam ihm schmaler vor, ihr Gesicht bleicher als noch am Tag zuvor, als hätte sie sich mit einer weniger interessanten Zwillingsschwester vertauscht. Ihre Wohnung bestand aus zwei schlecht beleuchteten Zimmern, die nach Räucherstäbchen rochen; an der Wand hingen überladen abstrakte Bilder, schwere Farbflächen, signiert in unleserlicher Schrift. Ein Papagei sprang ihm auf die Schulter und knabberte mißmutig an seinem Ohr.

»Das ist Claudio«, sagte sie.

Er nickte, sah ihr ins Gesicht, wieder erkannte er sie für einen Moment nicht. Auf dem Eßtisch brannte eine Kerze, die immer wieder ausging und neu angezündet werden mußte. Als sie kurz darauf im Bett lagen und er ihren dünnen Körper unter sich fühlte, hing plötzlich das krächzende Husten eines alten Mannes neben ihnen. Sie sagte ruhig »Claudio, sei still!«, dann umarmte sie ihn wieder und murmelte etwas, das er nicht verstand, und er beschloß mit solcher Festigkeit, daß dies ein Traum sein mußte, daß er es wirklich zu glauben begann, als er wieder im Auto saß und zusah, wie Fassaden sich errichteten und versanken, wie Leuchtschriften sich übereinanderlegten, wie Schaufenster aufblitzten und erloschen, und daß er fast schon davon überzeugt war, als er eine halbe Stunde später in sein eigenes Bett sank.

Am nächsten Tag hätte er fast Wöllners Geburtstagsfeier versäumt. Auf dem Weg verfuhr er sich, und so kam er als letzter. Es war eine mittelgroße Villa in der Vorstadt, auf dem Rasen standen pummelige Gartenzwerge mit Schubkarren und Schaufeln, ein gußeisernes W streckte sich schief über das Gartentor. Beklommen trat er ein und blickte in Mahlhorns spitzes Gesicht.

»Oh! Aber besser spät als nie.«

»Manchmal«, sagte Julian, »gilt auch das Gegenteil.«

»Wieso?«

»Nichts. Ich meinte nur …« Er stockte, aber Mahlhorn sah ihn ernst und fragend an. »… Manchmal ist es auch besser, man kommt gar nicht. Nur ein Scherz!«

»Aber so heißt es nicht!«

»Ich weiß.« Julian rieb sich die Augen. »Ich meinte nur … Ich weiß das!« Er tastete nach der Wand und fand sie nicht, er blickte um sich; niemand, den er kannte, war zu sehen. »Ich meinte nur … daß man … manchmal sagen könnte …«

»Aber so *heißt* es nicht!« Mahlhorn rückte seine Krawatte zurecht.

»Glauben Sie«, fragte Julian heiser, »ich könnte ein Glas Wasser bekommen?«

Mahlhorn war rot geworden. Auf seiner Stirn zeichneten sich Falten ab. »Wir sehen uns!« murmelte er, trat zurück und verschwand in der Menge. Julian nahm seine beschlagene Brille ab und putzte sie mit einem Zipfel seines Jacketts.

Er sah sich um. Männer mit Ohrringen, Frauen mit Fischaugen, ein alter Mann mit grüner Brille nickte ihm zu, er kannte ihn nicht, doch er nickte ebenfalls; von irgendwo waren die Klänge eines Klaviers zu hören, eine dürre Frau begann in der Mitte des Raumes zu tanzen, aber keiner kümmerte sich um sie. Jemand legte ihm eine Hand auf die Schulter, er erschrak, aber es war nur Andrea, die ihn zerstreut anlächelte; schon war sie wieder verschwunden. Julian griff nach einem Glas, an dessen Rand Lippenstiftspuren waren, doch es war ihm egal, er trank es aus und stellte es weg. Und dann stand Wöllner neben ihm, zog die Augenbrauen hoch und sagte: »Gute Nachrichten!«

»Bitte?«

»Wir fahren nach Italien, Sie und ich. Diesen Herbst. Kleine Tagung, nichts Wichtiges, beinahe Ferien.« Julian brauchte ein paar Sekunden, um den Mund zu einer Antwort zu öffnen, aber da war Wöllner schon weitergegangen.

Später, auf der Straße, verabschiedete er sich von Andrea. Sie stand neben ihrem Auto, ihre Augen waren schmal vor Müdigkeit, und auf einmal erschien sie ihm wieder fremdartig und schön. Er erzählte ihr von dem Gespräch mit Mahlhorn.

»Du wirst es nie lernen«, sagte sie, »nicht wahr?«

Er starrte sie an. »Was?«

»Du wirst es nie lernen«, wiederholte sie.

Er wartete, aber sie sagte nichts mehr. Sie nickte ihm zu, stieg in ihren Wagen, ließ den Motor an und fuhr los. Er blickte ihr nach; und als sie schon lange nicht mehr zu sehen war, stand er immer noch da. Er schlug seinen Kragen hoch und lehnte sich an den Gartenzaun. Er hatte Kopfschmerzen, und der Zaun fühlte sich hart an. Aber nach einer Weile hatten sich seine Augen an die Dunkelheit gewöhnt. Er nahm die Brille ab und steckte sie in die Tasche. Auf einmal, ganz ohne Grund, war ihm, als könnte alles noch gut werden.

V

»Ein Verschwundener wird erst nach acht Jahren für tot erklärt. Ich hoffe, du weißt das.«

»Ich bin nicht verschwunden, sondern ertrunken. Die Beweise sind eindeutig.«

»Ganz egal. Ohne Leiche: acht Jahre.«

»Es geht schneller, wenn mein nächster Verwandter unterschreibt.«

»Wer ist das?«

Julian antwortete nicht.

»Ach so.« Paul saß da, zurückgelehnt und doch gerade, er sah Julian starr, ohne zu blinzeln an. »Aber im Ernst, Julian, was soll das?«

»Du weißt, daß man nur ein Leben hat. Jeder weiß das. Es ist so ziemlich das erste, was einem gesagt wird.«

»Und?«

»Ich bekomme noch eines.«

Paul schüttelte den Kopf. »Sogar wenn das stimmen würde, würde es nicht stimmen. Du denkst, du könntest etwas anderes sein. Aber was du auch tust, der junge Mann mit den schlechten Augen, der ein schlechtes Buch über einen vergessenen Barockdenker geschrieben hat und schuld an Mamas Tod ist, bleibst du immer.«

»Wenn ich daran schuld bin«, sagte Julian leise, »dann bist du es auch.«

»Oh, sogar mehr als du.«

»Das scheint dir nicht viel auszumachen!«

»Du solltest allmählich begreifen«, sagte Paul ruhig, »wie albern deine ständigen Fluchtversuche sind. Obwohl es wirklich mutig von dir war, damals. Und dann mußte es dich gerade dorthin verschlagen, wo eine Frau vor den Zug gefallen war!«

»Ich wußte nicht, daß es eine Frau war.«

»Stand in der Zeitung. Es war eigentlich immer das gleiche: Du wolltest etwas anderes, und ich wollte nichts sein. Beides nicht so leicht, wie man denkt.«

»Nichts sein? Programmierst du darum diese Spiele?«

»Aber was bringt dich auf die Idee, daß das etwas Schlechtes ist? Im Moment zum Beispiel arbeiten wir an einem, in dem wir mittels künstlicher Intelligenz eine Raumschiffbesatzung vortäuschen, von der der Spieler langsam, nach und nach, gegen seinen Willen entdeckt, daß sie wesentlich schlechter ist, als er gedacht hat, daß sie seine Befehle falsch ausführt, aus Versehen oder mit Absicht, und eine Weile meint er noch, daß er einen Fehler gemacht hat oder daß wir einen Fehler gemacht haben. Aber dann wird ihm klar, und auf diesen Moment ist das ganze ausgerichtet, daß er von Feinden umgeben ist, daß alle ihn belogen haben, von Anfang an. Daß er nicht gewinnen kann.« Paul grinste. »Und das stimmt. Er kann es wirklich nicht.«

»Und so etwas verkauft sich?«

»Erstaunlich, nicht wahr? Dabei ist es schwerer zu machen, als es klingt. Wir müssen der Maschine das Lügen beibringen, dafür ist sie nicht disponiert.«

Julian verschränkte die Arme. Er wollte nicht über Spiele reden. »Warum bist du hier?«

»Ich bin angerufen worden. Von jemandem, der schlecht Deutsch sprach, ich glaube aus Italien. Ich weiß nicht, woher sie meine Nummer hatten. Jedenfalls sagte er, man wäre allmählich etwas in Sorge, weil du gestern nicht erschienen bist und weil sie heute morgen deine Kleider gefunden haben, deine Brille, sogar ein Handtuch, nur die Schuhe nicht …«

»Nicht die Schuhe?«

»Nein. Und weil niemand wußte, was das zu bedeuten hat …«

»Warum nicht die Schuhe?«

»Weiß ich nicht. Weil also niemand wußte …«

»Hat sich der Rezeptionist an mich erinnert?«

»Offenbar nicht. Weil also niemand …«

»Hat er wirklich vergessen, daß er mich gewarnt hat?« rief Julian. »Kann man sich auf keinen verlassen? Und wer stiehlt einem Ertrunkenen die Schuhe?«

Paul schwieg einen Moment. »Weil also niemand gewußt hat, wo du bist oder wie man das erklären soll, und weil das Polizeiboot erst heute nachmittag hinausfahren kann, schließlich ist Sonntag …« Julian öffnete den Mund, Paul hob die Hand. »Kein Wort über die Schuhe! Man hat mich also gebeten, nachzusehen, ob du hier aufgetaucht bist. Falls nicht, wird eine Vermißtenanzeige aufgegeben. Was immer das bringen soll.«

»Du hast natürlich keine Angst um mich gehabt.«

Paul zuckte die Achseln.

»Und vorhin im Flur? Ich hätte ein Gespenst sein können.«

»Vielleicht bist du eines. Sag mir lieber, wohin du willst: Lateinamerika? Die Wüste? Eine Insel?«

»Nach Osten wohl. Nordosten. Angeblich verschwindet man dort am leichtesten.«

»Du brauchst einen Paß.«

»Sollte nicht so schwer sein. Willst du mitkommen?«

Julian schwieg, er war selbst erstaunt über das, was er gerade gesagt hatte. Paul sah ihn an. Auch er schien überrascht. Seine Augen waren schmal geworden, Julian spürte ein sanftes Schwindelgefühl, die Schärfe seines Blickes. »Die Frage stellt sich nicht. Du bist dort ertrunken, nicht ich.«

Julian nickte, wider Willen war er erleichtert. »Ich werde Geld brauchen.«

Paul zog seine Brieftasche hervor, nahm alle Scheine heraus und streckte sie ihm hin. »Reicht das?«

»Wahrscheinlich.« Julian steckte sie ein, ohne nachzuzählen.

»Paß gut darauf auf! Weißt du noch, daß du früher, wenn du etwas verloren hattest, immer behauptet hast, zwei schwarzgekleidete Männer hätten dich ausgeraubt? Groß und gut angezogen und sehr höflich. Niemand hat dir das je geglaubt.

Aber du hattest vor nichts soviel Angst wie vor ihnen.«

»Keine Sorge!« sagte Julian, ärgerlich, weil er sich nicht erinnern konnte. Er stand auf. Paul blickte ihn müde an, als hätte das Gespräch ihn erschöpft.

»Und?« fragte Julian. »Was wirst du ihnen sagen?«

»Wem?«

»Denen, die dich geschickt haben.«

Paul sah ihn mißtrauisch an.

»Du solltest doch nachsehen, ob ich hier bin!«

Paul zuckte die Achseln. »Ich sage, daß ich ein Gespenst gesehen habe.«

»Danke!« Julian streckte seine Hand aus, Paul rührte sich nicht, er zog die Hand wieder zurück. Er sah die Bilder an, den Teppich, den Tisch, den Schrank, seinen Bruder, der mit leerem Ausdruck dasaß, vorgebeugt, die Hände auf den Armlehnen, und plötzlich fiel ihm auf, daß er nichts über ihn wußte, daß er ihn nicht besser kannte als irgendeinen entfernten Bekannten. Julian zögerte einen Moment. Dann ging er hinaus.

Aus dem Augenwinkel sah er die leere Fläche des Spiegels; er vermied es, dorthin zu blicken. Er öffnete die Tür, zog den Schlüssel ab, nahm seine Jacke vom Haken und zog sie an, während er die Treppe hinunterlief. Die Stufen stürzten vor ihm in die Tiefe, immer wieder mußte er nach dem Geländer greifen, um nicht das Gleichgewicht zu verlieren. Er trat ins Freie. Es schneite jetzt stärker. Große Flocken wirbelten durch die Luft, auf dem Boden breitete sich eine Schicht von schmutzigem Weiß aus. Er klappte seinen Kragen hoch, schob die Hände in die Taschen und senkte den Kopf.

Er wich Menschen, Hydranten, Kinderwagen, einem Hund an der Leine aus, er ging schneller, ganz von selbst begann er zu laufen. Er sah die Häuser, die er kannte, die Auslage des Supermarkts, die Buchhandlung, die drei Tage lang *Vetering: Person, Werk, Wirkung* in der Auslage gehabt hatte; all das zum letzten Mal. Eine Ampel sprang auf Grün, er lief über die Straße, wich einem Zettelverteiler aus, sprang über eine Pfütze und sah auf. Vor ihm erhob sich eine gläserne Fassade, in der sich Himmel, Häuser und Autos spiegelten. Das war sein Arbeitsplatz. Die Versicherung.

Aber das war doch nicht möglich! Er hatte nicht gemerkt, daß er diesen Weg genommen hatte.

Er wandte sich ab und wollte weglaufen. Dann stockte er. Und drehte sich wieder um.

Schließlich war heute Sonntag. Niemand ging hinein oder hinaus, niemand arbeitete darin, das ganze Haus stand leer. Und dort war die Hintertür, und niemand würde es bemerken, wenn er … Er tastete nach seinem Schlüsselbund. Nein, was für ein Unsinn! Er schüttelte den Kopf und beschloß in aller Klarheit, daß er das nicht tun, daß er auf keinen Fall dort hineingehen würde.

Die Tür öffnete sich schwerfällig, mit einem leisen Quietschen. Es roch nach Staub, Fäulnis, dem schmutzigen Halbdunkel. Er schloß die Tür hinter sich ab und ging zum Aufzug; matt leuchtend senkte sich die Kabine herab. Vor Aufregung biß er sich auf die Unterlippe, bis er den feinen Geschmack von Blut fühlte. Er drückte auf den Knopf für das zehnte Stockwerk, die Kabine setzte sich in Bewegung. Er lehnte sich an die Wand und atmete tief ein.

Die Kabine hielt, und er trat hinaus. Er blickte nach rechts und nach links und wieder nach rechts. Er tastete nach dem Lichtschalter, und ein fahler elektrischer Glanz raste in beide Richtungen des Ganges.

Er schloß die Tür seines Büros auf. Alles war an seinem Platz: der Tisch, die Ordner im Regal, die Stapel mit den Formularen, das Telefon, das immer noch umgedreht an der Wand lehnende Porträt Veterings. Eine der vier Wände war vollständig aus Glas: Man konnte auf das Geflecht von Straßen hinabsehen, über dem die hellen Punkte der Laternen schwebten, sie mußten sich gerade erst eingeschaltet haben. Menschen gingen auf den Bürgersteigen, die Flocken schwebten aus dem niedrigen Himmel; wenn man lange hinaufsah, kam es einem vor, als ob sie starr in der Luft standen und man selbst sich aufwärts bewegte. Er setzte sich und erschrak, als die Lehne des Stuhls unter ihm nachgab; fast kam es ihm unnatürlich vor, daß er noch Gewicht hatte. Er hob den Telefonhörer ab, zögerte, legte wieder auf. Es war so still, daß er das leise Geräusch hörte, mit dem die Flocken gegen die Scheibe schlugen. Er nahm den Hörer und wählte auswendig eine Nummer. Es läutete. Einmal, noch einmal. Und noch einmal. Dann knackte es, und er hörte eine Stimme: »Ja?«

Es war Clara. Plötzlich war die Luft um ihn festgefroren, er konnte sich nicht bewegen, er hatte nicht erwartet, daß es ihn so erschrecken würde.

»Ja?« wiederholte sie. »Hallo!« Sie schwieg. Er wartete; sie schwieg immer noch; er begriff, daß sie horchte. Er hörte seinen eigenen Herzschlag und das hohe Rauschen in der Leitung.

»Julian«, sagte sie, »bist du das?«

Der Tisch schien vor ihm zurückzuweichen, sein Mund öffnete sich, er wußte, daß er gleich antworten würde, er holte Luft, gleich …! Seine Hand legte sich auf die Telefongabel.

Eine Weile hörte er dem Stottern des Besetztzeichens zu. Sein Tisch trieb langsam durch den Raum. Er stützte die Ellenbogen auf und rieb sich die Schläfen. Vielleicht hatte er sich verhört, vielleicht hatte sie doch nicht seinen Namen gesagt, vielleicht … Aber nein, es war nicht wichtig! Selbst wenn sie ihn auf irgendeine Weise erkannt hatte: Sein Anruf war der eines Geistes gewesen, eines der sinnlosen Zeichen, die Gestorbene durch die eben noch und bald schon nicht mehr durchlässige Grenze schickten. Er war tot, und nur das zählte.

Er zog einen der Ordner aus dem Regal, schlug ihn auf, blätterte durch die in vielen Schriften bekritzelten Seiten; so viele Schicksale, und jedes hielt sich für einzig, und alle glichen einander. Er schloß den Ordner, zielte und warf ihn nach dem Papierkorb: Er öffnete sich in der Luft, streifte das Fensterglas, prallte an der Metallkante des Korbes ab, der Korb fiel um, Bälle aus zerknülltem Papier rollten heraus, der Ordner schlug zu Boden. Julian starrte ihn an, als hätte er einen Feind besiegt.

Er nahm ein Blatt aus dem Formularstapel auf dem Tisch – nicht das oberste, eines aus der Mitte – und hielt es gegen das Licht. Ein verschlungenes Wasserzeichen leuchtete auf, die Schriftzüge waren groß und selbstbewußt und kamen ihm bekannt vor. Er riß es sorgfältig in der Mitte durch, legte die beiden Hälften aufeinander, riß sie wieder durch, legte die Hälften aufeinander und riß sie durch, noch dreimal, dann ging es nicht mehr, zuviel Papier; es mußten, überschlug er, schon vierundsechzig Blätter sein. Wie schnell Zahlen, sich selbst überlassen, sich in die Höhe schraubten! Er öffnete die Hände und ließ die Schnipsel auf den Tisch regnen. Er lachte leise. Er fragte sich, ob er verrückt war. Sinnlose Fröhlichkeit stieg in ihm auf, schwer und hell, kaum zu unterdrücken. Aber war es nicht genau das, was sie in allen Geschichten taten? Sie machten Anrufe, zerrissen Papier, übten ihre Kinderwillkür an den Lebenden und verschwanden danach für immer. Er stand auf und ging, ohne sich noch einmal umzusehen, hinaus.

Das Licht hatte sich wieder abgeschaltet. Während Julian auf die Lifttüren zuging, wich die Wand am anderen Ende des Ganges vor ihm zurück; etwas mit der Perspektive war nicht in Ordnung. Er ging schneller, am Büro Mahlhorns vorbei, der Gang dehnte sich stärker, unter Wöllners Tür lag ein schmaler Lichtstreifen. Er ging noch schneller und erreichte die Lifttür, die Kabine wartete noch, er stieg ein und drückte auf den untersten Knopf.

Er trat auf die Straße. Wind war aufgekommen, Wolken zogen schnell und sich verformend vorbei, ein Räumfahrzeug ließ eine Spur von Salz und Kieselsteinen hinter sich.

Auf der Rolltreppe zur U-Bahn wäre er fast ausgerutscht. Von einem Plakat über dem Bahnsteig blickte das Gesicht einer Frau: längliche Augen, geschwungene Lippen, eine rote Haarsträhne, die sich auf ihrer Stirn kräuselte; unwillkürlich wich er ihrem Blick aus. Er sah in das Schwarz des Schachtes, schon nahm ein Zug Gestalt an: Lichtreflexe liefen an den Schienensträngen entlang, dann formten sich die Scheinwerfer und eine Scheibe und das gähnende Gesicht des Fahrers. Julian stieg ein.

Vor dem Fenster raste die Dunkelheit vorbei, unter seinen Füßen vibrierte der Boden, ihm gegenüber saß ein Junge von etwa zehn Jahren und betrachtete ihn ernst und neugierig. Zwei runde Brillengläser vergrößerten seine Augen.

»Geht es Ihnen gut?«

»Ja«, sagte Julian, »warum?«

Der Junge sah ihn mit offenem Mund an und strich sich die Haare aus dem Gesicht. »Wohin jetzt?«

»Was?«

»Wohin Sie fahren.«

»Zu meinem Vater«, sagte Julian.

»Gut«, sagte der Junge. »Sehr gut!«

Julian wollte fragen, was er damit meinte, aber schon hielt der Zug, und er mußte aussteigen. Eine lange Rolltreppe brachte ihn auf die Straße. Eine graue Fassade, darin ein Muster heller Fenster. Ein Polizist machte hektische Zeichen mit einer Kelle. Die Eingangstür öffnete sich vor ihm, in der Halle hing der scharfe Geruch chemischer Sauberkeit. Der Mann in der Portiersloge beachtete ihn nicht, zwei Ärzte in weißen Kitteln sprachen leise und wütend miteinander. Er ging langsam die Treppe hinauf. Die Stufen waren niedrig und ausgetreten. Eine alte Frau kam ihm in Sandalen und einem Frotteemantel entgegen, blieb stehen und sah ihn glasig an. Er wich ihrem Blick aus und ging schnell weiter.

Die Treppe endete auf einem fensterlosen Gang, erhellt von weißen Neonröhren, eine davon war defekt und ging mit leisen Knacklauten an und aus, an und aus. In einem Papierkorb lagen zerknüllte Tücher. Auf einem Plakat war ein vielbeiniges Tierchen unter der Aufschrift RECHTZEITIG IMPFEN gemalt. Zunächst fiel ihm die Zimmernummer nicht ein; aber da entstand sie schon aus der Tiefe seines Gedächtnisses: Einhundertsieben. Er blieb stehen, legte die Hand auf die Klinke, zögerte. Wie lange war er nicht hier gewesen? Er zuckte die Achseln und trat ein.

Zwei Betten, ein Kleiderschrank, ein Tisch und zwei metallene Stühle. Ein Fernseher auf einem schiefen Gestell in der Wand, ein Glas Wasser auf dem Nachttisch. Auch ein Teller mit einem flachen Stück Kuchen und einem Apfel. Das eine Bett war leer, in dem anderen lag ein alter Mann.

Er hatte die Decke bis zum Kinn hochgezogen,

seine Hände drückten sich dünn, fast durchsichtig auf das Laken. Sein Hals war faltig, sein Kinn überzogen mit winzigen Schnitten, ein Zeichen, daß fremde Hände ihn rasiert hatten. Seine Augen richteten sich einen Moment lang auf Julian, aber sie schienen etwas anderes zu sehen oder nichts. Julian wollte einen Stuhl heranziehen, aber dann tat er es doch nicht.

»Ich weiß«, sagte Julian, »daß ich lange nicht hier war. Ich weiß nicht, warum. Ich wollte dir nur sagen, daß ... ich gehe.«

Er wartete. Aber es kam keine Antwort; der alte Mann atmete ein, ein leise pfeifendes Geräusch, seine Wangen sahen hohl aus, selbst seine Nase war dünner als früher. Wie hatte er nur so klein werden können?

»Man wird dir sagen, daß ich tot bin«, sagte Julian, »aber das stimmt nicht. Ich mache genau das, was du gemacht hast. Aber ich mache es nicht wie du.«

Plötzlich hatte er Durst. Sein Blick fiel auf das Glas, und sofort ekelte es ihn so sehr davor, daß er über sich selbst erschrak. Er sah auf den Teller mit dem Kuchen und dem Apfel; wer mochte ihn dorthin gestellt haben und wozu? Julian versuchte sich an den Mann zu erinnern, den er morgens hatte weggehen und abends zurückkommen sehen: an seine breite und immer etwas schiefe Gestalt, den Geruch seines Rasierwassers morgens im Badezimmer, die zerkratzte Aktentasche, die man nicht hatte berühren dürfen, und wie seine Stimme hoch und zittrig werden konnte, wenn er schrie. Einmal hatte Julian ihn im Büro besucht. Er hatte hinter einem Schreibtisch mit einem Telefon und sehr viel Papier gesessen, und beide hatten sie nicht gewußt, was sie sagen sollten. Hin und wieder hatte sich ein bedrucktes Blatt gelöst, war langsam durch die Luft geschwebt und lautlos auf dem Boden aufgekommen. Dann hatte sein Vater geseufzt, sich gebückt und es aufgehoben. Nach einer Stunde war Julian gegangen. Plötzlich fühlte er sich lächerlich. Warum war er hier?

»Warum bin ich hier?«

Hatte er das laut gesagt? Er berührte verwirrt eine Hand seines Vaters. Die Finger reagierten nicht, übten keinen Druck aus. Doch da geschah etwas.

Sein Vater öffnete den Mund. Sein Kopf machte eine kleine Bewegung, Julian beugte sich vor. Er spürte den Wäschegeruch der Bettücher, den

Geruch der Medikamente und eines alten Körpers, dessen Lippen sich bewegten, dessen Finger sich um seine Finger schlossen. Julian fühlte den Atem auf seiner Wange.

»… jetzt«, hörte Julian ihn sagen, »ja?«

»Was?«

»Nicht jetzt. Ja?«

Julian zog seine Hand zurück. Die Augen seines Vaters öffneten und schlossen sich, seine Hand suchte vergeblich nach der Hand Julians.

»Nicht jetzt«, wiederholte er, »ja? Noch nicht!«

Julian ging zur Tür. Es hatte keinen Sinn, er erkannte ihn nicht. Er drehte sich noch einmal um: Sein Vater lag wieder ruhig da, ohne ihm nachzusehen, ohne ihn zu bemerken. Sein Mund war geöffnet, sein Blick konzentriert auf den abgeschalteten Fernseher gerichtet. Seine rechte Hand hing über die Bettkante, seine Finger sahen lang aus und beinahe schön. Leise schloß Julian die Tür hinter sich.

Er sah zu der defekten Leuchtröhre auf. Für ein paar Sekunden füllte ihr Flackern sein Bewußtsein ganz: Die Wirklichkeit wurde unscharf; er ballte die Fäuste, noch nicht, er wollte noch nicht, daß es aufhörte, jetzt noch nicht …! Er tastete nach der Wand neben sich, schon nahm der Gang wieder

Gestalt an, und er sah sich die Treppe hinuntergehen, vorbei an den beiden Ärzten und am Portier, auf die Straße; der Schnee reichte ihm schon bis zu den Knöcheln. Auf der Fahrbahn stauten sich Autos, er hörte wütende Rufe, ein Hund schüttelte sich, das Weiß wirbelte von seinem Fell. Als Julian sich umdrehte, war die Fassade des Krankenhauses schon nicht mehr auszumachen, sie war in die Reihe der anderen Häuser eingegangen und nicht mehr von ihnen zu unterscheiden.

Der Paß! Er mußte nachdenken. Vor Jahren hatte er einen Film gesehen, dessen Held falsche Ausweise gebraucht hatte und deshalb in ein Nachtlokal gegangen war. Er hatte dem Besitzer mit souveräner Vertrautheit ein paar Geldscheine zugesteckt; dieser hatte genickt, und in der nächsten Einstellung war schon ein neuer Paß da, mit allen nötigen Stempeln und einem nur etwas unscharfen Foto. Natürlich ging es in Wirklichkeit nicht so leicht.

Wenn aber doch? Julian hob die Hand, und im selben Augenblick – oder womöglich sogar früher, als wäre seine Bewegung nur eine Reaktion darauf – hielt ein Taxi vor ihm. Er öffnete die Tür und setzte sich in den Wagenschlag. Der Fahrer drehte sich um. Er hatte ein rundes Gesicht, dicke Lippen und einen Schnurrbart. »Was sagen Sie zum Wetter?« rief er. »Im Oktober!«

»Sie?«

Der Fahrer starrte ihn an.

»Sie haben mich heute schon gefahren!«

»Ich fahre viele Leute.«

»Aber doch nicht zweimal an …«

»Wohin wollen Sie?«

»Ich meine, finden Sie es nicht seltsam …«

»Wohin wollen Sie?«

Julian überlegte. Ihm war heiß geworden, er spürte, daß er rot wurde. »Kennen Sie in dieser Gegend ein Nachtlokal?«

»Ein was?«

Julian schluckte. »Einen Ort, wo man etwas trinken kann und … Menschen sind und … wenn man etwas braucht …« Der Fahrer grinste. »Nein, ich meine, wenn man …!« Er wischte sich die Stirn ab.

»Schon verstanden!« sagte der Fahrer. Für einen langen Moment hing noch sein Grinsen im Rückspiegel, dann schaltete er den Blinker ein und fuhr los. Julian lehnte sich zurück, schloß die Augen, spürte, wie das Auto bremste, anfuhr, wieder bremste, um eine Kurve fuhr und hielt.

»So«, sagte der Fahrer.

Julian schlug die Augen auf. »Was?«

Der Fahrer nahm langsam eine Zigarette aus dem Mund. Julian hatte nicht bemerkt, daß er sie angezündet hatte. Er schnippte die Asche auf den Beifahrersitz. »Wir sind da!«

»Dafür hätte ich kein Taxi gebraucht!«

»Ihre Sache.« Der Fahrer legte den Kopf zurück und blies Rauch an die Decke. Julian bezahlte, stieg aus und wartete. Es dauerte eine Weile, bis er das Auto hinter sich wegfahren hörte.

Eine kahle Ziegelmauer, deren Ritzen sich schon mit Schnee gefüllt hatten, darin ein kleines Tor. Während Julian darauf zuging, fragte er sich, ob er das Opfer eines Scherzes geworden war. Es waren keine Menschen zu sehen, die Mauer sah alt und schief aus; plötzlich trat ihm ein Mann in den Weg. Er war unförmig und breit, und aus seinem Kragen und seinen Ärmeln wuchs ein Pelz dunkler Haare.

»Ich möchte zum Chef«, sagte Julian. »Dem Geschäftsführer. Bitte.«

Der Mann schien nachzudenken. Dann nickte er, drehte sich um und öffnete das Tor, Julian folgte ihm. Sie gingen eine steile Treppe hinunter, dann durch einen Gang. Graffiti überzogen die Wände wie eine fremde Schrift. Julian hörte Schlagzeug, das mit jedem Schritt lauter wurde. Eine Tür sprang auf, und der Lärm prallte mit voller Kraft auf ihn.

Instinktiv hielt er sich die Ohren zu; es dauerte ein paar Sekunden, bis er weitergehen konnte. Sein Führer war schon im Gewimmel verschwunden, dessen Bewegungen das flimmernde Licht in scharf getrennte Momente zerschnitt, er versuchte ihn einzuholen, aber das war schwierig, etwas in der Zeit selbst stemmte sich gegen ihn; ein strömender Widerstand, den er überwinden mußte. Er konnte nicht erkennen, wie groß der Raum war, Qualm hing vor den Scheinwerfern, er sah bleiche Gesichter, offene Münder, Lippen wie mit dem Messer gezeichnet, über dem Schlagzeug schwebte ein auf- und abschwellendes Pfeifen, das ihm in die Ohren schnitt, es fiel ihm schwer einzuatmen, ein Ellenbogen schlug gegen seine Brust, ein betäubender Geruch nach Schweiß, er stieß gegen eine Frau, wollte sich entschuldigen, aber sie beachtete ihn nicht, etwas berührte seinen Hals, weich und sanft wie eine Schlingpflanze, und für einen Moment fühlte er sich ganz von Wasser umgeben, von einer kühlen Stille, jenem Dröhnen eigentümlich verwandt, und er spürte, wie er sank und tiefer sank ...

Schon war es vorbei. Und wieder die geschminkten Gesichter, auf denen der Schweiß die Farben auflöste; er rutschte in einer Pfütze von Erbrochenem aus, eine dürre Frau hob beide Arme über den Kopf und drehte sich um sich selbst, niemand schien sie zu beachten, in einer Ecke lag ein Mann; betrunken, dachte Julian, dann fiel ihm das Blut auf, oder vielleicht war es doch nur das rote Licht, er blickte schnell woanders hin. Er hatte seinen Führer noch immer nicht eingeholt, immer mehr Körper schoben sich zwischen sie, der Qualm wurde dichter, er stolperte vorwärts und spürte die Wand unter seinen Handflächen, und neben ihm war eine offene Tür, und sein Führer stand daneben und zeigte ihm, daß er hineingehen sollte. Julian zögerte. Dann fühlte er einen Stoß, und die Tür fiel zu und trennte ihn mit einem Schlag von dem Lärm.

Er rieb sich die Augen. Das Zimmer war abgedunkelt, die Geräusche nur mehr gedämpft, wie von weitem zu hören. Er blinzelte, und allmählich zeichnete sich ein Schreibtisch ab, hinter dem ein glatzköpfiger Mann saß, vorgebeugt, gestützt auf seine Ellenbogen. Seine Brillengläser funkelten schwach.

»Wöllner?«

»Wie bitte?«

»Sie sind doch … Ich meine, Sie sehen aus wie … Nein, entschuldigen Sie, natürlich nicht!« Julian rieb sich die Stirn, seine Brille war beschlagen. »Könnte ich ein Glas Wasser haben?«

»Im Moment nicht.«

Julian nahm die Brille ab und versuchte sie mit einem Zipfel seiner Jacke zu putzen.

»Würden Sie mir sagen, was Sie von mir wollen?«

»Einen …« Julian räusperte sich. »Einen Paß.«

»Ach.«

Julian starrte ihn an. Die Ähnlichkeit war überwältigend; aber vielleicht täuschte er sich auch, das Licht war sehr schlecht. Er setzte die Brille auf, sie war jetzt schmutziger als zuvor. Der Mann lehnte sich nach hinten und verschränkte die Arme. »Und du läßt alles zurück?«

»Was?«

»Ich sagte, Sie vertrauen ja auf Ihr Glück! Wie sind Sie auf mich gekommen?«

Julian wollte etwas von dem Taxifahrer sagen,

aber dann ließ er es. »Ich bezahle dafür! Ich weiß, daß Sie mir helfen können.«

»Du glaubst wirklich, du bist dann frei, Julian?«

»Was?«

»Ich sagte, ich sollte wirklich die Polizei holen.« Hinter dem Schreibtisch zeichnete sich ein zweiter Tisch ab, für eine Sekunde glaubte Julian, daß dort noch jemand saß, dann begriff er, daß es wieder nur ein Spiegel war. »Wenn Sie einen Rat wollen, mein Lieber, das ist nichts für Sie. Sie sind nicht der Mann dafür.«

»Aber ich …« Julian unterdrückte einen Hustenanfall. »Ich bezahle!«

Wöllner schwieg. Julian sah sich beunruhigt um. Der Anblick eines Spiegels bei so wenig Licht war unheimlich; er fragte sich unwillkürlich, was er zeigen mochte, wenn es ganz dunkel war, aber der Gedanke schien ihm so erschreckend, daß er ihn von sich schob. Wöllner nickte. Er öffnete eine Schublade, nahm etwas heraus und warf es auf die Tischplatte. »Hier!«

»Was ist das?«

»Ein Paß natürlich. Nehmen Sie ihn und gehen Sie, bevor ich es mir überlege! Ihr Geld können Sie behalten. Ich rate Ihnen trotzdem, es nicht zu tun.«

»Aber …« Julian streckte die Hand aus. Es war wirklich ein Paß: klein und rötlich mit dem eingeprägten Halbrund eines Wappens.

»Öffnen Sie ihn nicht!«

Julian sah auf. Wöllners Brillengläser funkelten.

»Verstehen Sie?«

Julian nickte.

»Dann verschwinden Sie jetzt!«

»Verschwinden«, sagte Julian leise. Ein paar Sekunden sahen sie einander an. Wöllner lächelte und machte eine schnelle Handbewegung, Julian trat zurück, und die Tür schloß sich vor ihm. Wieder die Schläge, wieder das Flackern; der Rauch nahm die wechselnden Farben der Scheinwerfer an. Julian schob sich vorwärts, durch den Qualm und die Ausdünstungen von Körpern, Übelkeit stieg in ihm auf, er schob sich weiter, drückte jemanden zur Seite, versetzte einem anderen einen Stoß, erreichte den Gang, die Graffiti flackerten vor seinen Augen, er lief die Treppe hinauf, stieß die Tür auf, trat auf die Straße. In die Kälte und den fallenden Schnee.

Er hätte sich am liebsten hingesetzt, aber dafür hatte er keine Zeit, er mußte weg von hier. Er hielt den Paß immer noch in der Hand; er schob ihn in seine Jackentasche und ging weiter, ein Auto fuhr durch eine Pfütze, Wasser spritzte auf, er fühlte die Nässe an seinen Hosenbeinen. Ein Räumfahrzeug kroch träge vorbei. An einer Mauer lehnte eine Frau. Sie hatte einen kurzen Rock, rot gefärbte Haare, die sich auf ihren Schultern bauschten, eine kurze Lederjacke. Ihr mußte kalt sein. Wenn sie mich anspricht, dachte er plötzlich, dann gehe ich mit! Er näherte sich, sie warf einen Blick in seine Richtung, aber sie schien durch ihn zu sehen, als wäre er unsichtbar. Beim Vorbeigehen roch er ihr Parfum, ein Aroma billiger Chemie, und als ihm auffiel, wie das Licht auf ihren Haaren spielte, begehrte er sie so stark, daß ihm der Atem stockte. Er drehte sich um, aber sie war schon nicht mehr da; der Bürgersteig war leer.

Er senkte den Kopf und überquerte die Straße, er achtete nicht mehr darauf, wohin er ging. Er wich einem Mann aus, der ihn fast umgestoßen hätte, und betrat das Weiß eines Zebrastreifens; ein Auto wollte losfahren, aber seine Räder drehten durch, seine Scheibenwischer zuckten hilflos hin und her. Julian blieb stehen und hob den Kopf. Es überraschte ihn nicht, daß auf der anderen Straßenseite schon der Bahnhof war. Über seinem Eingang hingen die grünen Digitalziffern einer Uhr: noch über eine Stunde, bis die Nachtzüge gingen. Hinter ihm war ein matt erleuchtetes Kaffeehaus, eine blinde, nicht sehr saubere Glastür. Er öffnete sie und trat ein.

Zwei billig imitierte Kristallüster, abgestandener Zigarettenrauch in der Luft, an den Wänden klebten alte Plakate mit eitel lächelnden Schauspielern, Turbane und Kronen, überzogen vom Sepia des Verbleichens. Auf einem Schrank lief ein Fernseher mit abgeschaltetem Ton. Julian zog seine Jacke aus und setzte sich. Nur wenige Tische waren besetzt: Menschen blätterten in Zeitschriften oder starrten vor sich hin, eine Kellnerin ging auf und ab und warf suchende Blicke um sich. Julian hob die Hand, sie kümmerte sich nicht darum. Ein knochiger Mann mit einem langen Gesicht hob am Nebentisch die Hand, sofort stand sie neben ihm, er flüsterte eine Bestellung, sie nickte und eilte davon. »Entschuldigung!« rief Julian.

Dann lauter: »Entschuldigung!« Der knochige Mann blickte sich irritiert um, die Kellnerin kam zurück und stellte etwas auf seinen Tisch; Julian beugte sich vor und sah, daß es ein Teller mit einem flachen Stück Kuchen war, löchrig und wie aus

Kunststoff; er überlegte, wo er diesen Kuchen schon gesehen hatte. Die Kellnerin ging wieder auf die Küchentür zu. Julian hob die Hand, ballte sie zur Faust und schlug mit aller Kraft auf den Tisch.

Die Kellnerin verschwand in der Küche. Der knochige Mann drehte ihm langsam den Kopf zu und sah mit gerunzelter Stirn, als trübte etwas seinen Blick, in Julians Richtung. Vor dem Fenster ging ein Blinder mit einem Hund vorbei, stolperte in einer Schneewehe und fing sich wieder; Julian sah ihm eine Weile zu, bis er begriff, daß etwas mit dem Tier nicht stimmte. Es war ein großer Schäferhund mit seidigem Fell, wachsam aufgestellten Ohren, schmalen und konzentrierten Augen. Aber er war der Aufgabe nicht gewachsen: Er hielt keine gerade Linie und wich Hindernissen nicht aus, sein Besitzer streifte einen Laternenmast, stieß gegen einen Hydranten und stolperte, als ihn der Hund plötzlich vom Bürgersteig zog, auf die Straße. Ein Auto machte eine quietschende Vollbremsung, der Hund sprang zurück, der Blinde trat auf den Bürgersteig, der Hund zog ihn davon, in die Richtung, aus der sie gekommen waren, und sie verschwanden im dunklen Spalt zwischen zwei Häusern.

Julian wandte sich ab und erstarrte vor Schreck. Mahlhorn ging langsam durch den Raum.

Er war es wirklich: Sein spitzes Kinn, sein Zopf, seine blasiert vorgeschobene Unterlippe. Julian unterdrückte den Impuls, sich zu bücken oder die Hände vor das Gesicht zu schlagen, dafür war es zu spät. Mahlhorn kam näher, rieb sich die Nase, hob und senkte die Schultern, wie er es immer tat, öffnete die Tür und ging hinaus. Er ging am Fenster vorbei, sah nach rechts und nach links, schon waren seine Haare mit Schnee überzogen. Er blieb stehen, rieb seinen Schuh an der Bordsteinkante, ging weiter und verschwand aus Julians Blickfeld.

Julian stützte den Kopf in die Hände. Sein Puls raste. Im Fernseher war jetzt ein Moderator zu sehen, der ein Mikrofon schwenkte und sehr schnell die Lippen bewegte. Das Bild wechselte, ein Priester saß höflich nickend auf einer Couch, neben ihm ein kleiner Junge mit runden Brillen, der sich zurücklehnte, die Beine übereinanderschlug und eine Zigarette zwischen Daumen und Zeigefinger hielt. Der Priester gestikulierte, bei jeder Handbewegung blitzte ein Ring an seiner linken Hand; der Junge antwortete, der Priester schüttelte den Kopf, wieder kam der Moderator ins Bild und machte unbeholfene Tanzschritte.

»Kann ich einen Kaffee haben?« rief Julian. Niemand drehte sich um, die Kellnerin war nicht zu sehen. Der Fernseher zeigte eine Großaufnahme des Jungen; in seinen Brillengläsern spiegelten sich die Scheinwerfer und machten seine Augen unsichtbar. Julian stand auf, zog seine Jacke an und ging hinaus.

Er sah hinüber. Zu den Umrissen des Bahnhofs, den Werbeaufschriften, dem leuchtenden Glas der Fenster. Er breitete langsam die Arme aus. Er atmete ein und hielt die Luft an. Dann schloß er die Augen und ging los.

Autos brausten an ihm vorbei; er spürte, wie sie auf ihn zu stürzten und an ihm vorbeischnellten, er hörte keine Hupe und keine Bremse. Er ging weiter, ein letztes raste heran und davon, dann hatte er die andere Seite erreicht. Er legte die Hand auf die Brust. Sein Puls war nicht schneller geworden. Er klappte seinen Kragen herunter. Er atmete ein. Ein paar Sekunden horchte er noch, als müßte er es sich einprägen, auf das Geräusch der Straße.

In der Bahnhofshalle waren nur wenige Menschen. Auf der Tafel sah er, daß sein Zug in zwanzig

Minuten abfahren würde. An einem Automaten mit dessen blinkendem Bildschirm und vielen Knöpfen und unterschiedlichen Aufschriften er kaum zurechtkam, kaufte er eine Fahrkarte. Sie war teuer, aber es war auch ein weiter Weg.

Seine Schritte kamen ihm sehr laut vor. Aber niemand, nicht der Betrunkene in der Ecke, nicht der Mann mit den drei Reisetaschen, von denen eine ständig zu Boden fiel, nicht die Frau mit dem schwarzen Pelzmantel, drehte den Kopf, als er vorbeiging. Eine Rolltreppe trug ihn auf den Bahnsteig. Gleis Drei. Es war ein merkwürdiges Gefühl, ohne Gepäck zu verreisen. Er hätte einkaufen können, aber jetzt war es zu spät dafür. Wie hatte er eigentlich den ganzen Tag vertan? Vor ihm stand ein Mann in einem durchnäßten Regenmantel und blickte vornübergebeugt, mit herabhängenden Armen auf die Schienen. Julian überlegte einen Moment. Dann schlug er ihm auf die Schulter.

Paul fuhr herum. Er blickte Julian mit zusammengekniffenen Augen an, erschrocken, als ob ihn etwas blendete.

»Wieso bist du hier?« fragte Julian.

»Du weißt genau, daß ich es nicht wirklich bin. Oder hast du es noch immer nicht verstanden?«

Paul griff in seine Manteltasche. »Ich dachte mir, daß du diesen Zug nimmst. Und ich dachte, du brauchst vielleicht noch Geld. Hast du einen Paß?«

»Gewissermaßen.«

»Hast du einen oder nicht?«

Julian zögerte. »Ich habe einen.«

»Kann ich ihn sehen?«

»Besser nicht.«

Paul musterte ihn. Wieder spürte Julian die Kraft seines Blickes; unwillkürlich schlug er die Augen nieder. Paul nickte, griff in seine Tasche und holte ein Bündel Geldscheine hervor. Julian nahm es und steckte es ein.

»Ich war bei Papa«, sagte er. »Er hat mich nicht einmal erkannt.«

»Was soll das heißen?«

»Bitte?«

»Ich weiß nicht, was du damit sagen willst!«

»Ich wollte …« Die Frauenstimme aus dem Lautsprecher übertönte ihn. »Ich wollte gar nichts sagen«, brüllte er, »ich …« Da spürte er schon den Luftzug der sich nähernden Bahn, die Umrisse einer Lokomotive zeichneten sich ab. »Ich wollte …« begann er noch einmal, doch es war zu laut, der Zug bremste, gab ein langgezogenes Zischen von sich, stand. Und öffnete seine Türen.

»Wir sehen uns nicht wieder«, sagte Paul. »Weißt du das?«

»Ich weiß das.«

»Du hast einiges vor dir.«

»Ja«, sagte Julian, »das habe ich wohl.«

Sie sahen einander an. Menschen stiegen aus und ein, Koffer wurden vorbeigetragen, die Stimme aus dem Lautsprecher sagte etwas Unverständliches, ein Mann in einer Uniform machte irgend jemandem Zeichen.

Julian wollte noch etwas sagen. Aber dann begriff er, daß das nicht nötig war. Paul hob langsam beide Hände. Julian nickte. Dann wandte er sich ab und stieg ein.

VI

Die Lokomotive stieß einen Pfiff aus, und Julian schreckte auf. Sein Spiegelbild sah ihn beunruhigt aus der Fensterscheibe an, blaß und unrasiert, mit zerzausten Haaren. Dahinter geglättete Dunkelheit: kein Licht am Himmel, kein Licht darunter. Der Waggon war fast leer. Nur eine alte Frau, ein schlafender Junge, ein Mann, der gekrümmt und faltig vor sich hin starrte. Auf der anderen Seite des Fensters schwebte ein durchsichtiges Abbild des Waggoninneren mit allen Sitzen, allen Menschen, selbst den Nichtraucherzeichen auf den Scheiben. Auch ihm selbst: Nur seine Augen konnte er nicht gut erkennen, er sah das Weiße darin, die Iris, ihre fast bläuliche Äderung, aber nicht die Pupillen. Die Gesetze der Optik, dachte er, und ihm fiel ein, daß es drei Abhandlungen von Vetering darüber gab, die er immer vermieden hatte zu lesen.

Hinter ihm öffnete sich die Waggontür, er hörte das Rattern des Fahrwerks, dann schob sich ein dicker Mann herein. Es dauerte eine Weile, bis er seinen Koffer auf die Gepäckablage gehievt hatte:

mehrmals gelang es nicht, die Ablage war zu klein oder der Koffer zu schwer, er schnaufte laut, Schweiß stand auf seiner Stirn. Julian überlegte schon, ob er ihm Hilfe anbieten sollte, aber dann schaffte er es doch und sank schwer atmend in einen Sitz. Seine Brust hob und senkte sich, sein Mund stand weit offen.

Julian schloß die Augen. Er versuchte, sich das vorbeifliegende Land vorzustellen: Hügel und Täler, lichtlose Dörfer, Wälder, deren Astgeflecht die Dunkelheit festhielt. Wieder hörte er das Geräusch der Tür, das Hämmern der Gleise, Schritte; er öffnete die Augen, es war der Schaffner. Er war groß und dürr, seine Kappe saß schief, und bevor Julian noch seine Fahrkarte hervorziehen konnte, war er an ihm vorbeigegangen. Zu dem gekrümmten Mann, der ein Billett hochhielt, der Frau, die lange in ihrer Handtasche kramen mußte, dem Jungen, der bleich geworden war und gerade etwas sagen wollte, als der Dicke seine Geldbörse hervorholte und ihm eine Fahrkarte kaufte. Der Schaffner nickte und ging weiter, Julian starrte ihm nach und steckte seine Karte wieder ein. Er lehnte den Kopf an das Glas, blickte in die Augen seines Spiegelbildes, in das Geisterbild des Waggons, und sah zu, wie die Frau ihre Augen schloß, der Gekrümmte von neuem erstarrte und der Junge leise mit dem dicken Mann sprach. Dieser lächelte und strich seine Haare zurück, der Junge schüttelte den Kopf, der Dicke faltete die Hände auf dem Bauch. Hinter ihnen malte sich, dünn wie eine Bleistiftlinie, der Horizont. Das erste Zeichen, daß es bald hell sein würde.

Julian gähnte, Tränen traten ihm in die Augen. Er wußte, daß es etwas gab, an das er sich hätte erinnern müssen, etwas Wichtiges. Er konzentrierte sich, aber es fiel ihm nicht ein. Alle schliefen sie jetzt: Dem Jungen war der Kopf auf die Brust gesunken, der Dicke hatte sich schief über drei Sitze ausgestreckt, ließ die wulstigen Hände auf den Boden hängen und schnarchte mit offenem Mund. Julian schloß und öffnete wieder die Augen, und womöglich hatte auch er geschlafen, denn die Farbe seines Spiegelbildes hatte sich verändert, die Berge in der Ferne waren deutlicher, darunter streckten sich farblose Wiesen aus, und vor dem Himmel sah man die regelmäßige Kurve der steigenden, sinkenden, steigenden Drähte, heruntergezogen von ihrem Gewicht und wieder hinauf von den rhythmisch aus dem Boden schießenden

Masten. Schneeflocken trieben schräg vorüber; nun tauchten Häuser auf, schief und mit leeren Türrahmen, offensichtlich unbewohnt. Auf einem Schornstein klebten die Überreste eines Vogelnests. Glasscherben ragten aus hohlen Fenstern, eine Rückwand war schon zu weißlichem Schutt aufgelöst; bevor er es genau sehen konnte, waren sie vorbei. Der Himmel füllte sich mit bleichem Licht.

Julian stand auf; sein Rücken war so steif, daß er einen Schmerzenslaut unterdrücken mußte. Niemand blickte auf, als er hinausging, auf der Schwelle zum nächsten Waggon wehte ihn eisige Luft an, er biß die Zähne zusammen und stieg über den ratternden Spalt. Er schob die Tür zum nächsten Waggon auf und betrat die Toilette.

Der Spiegel war blind und beschlagen, es dauerte eine Weile, bis das Wasser zu fließen begann; er wusch sich das Gesicht und die Hände. Er hatte Durst, aber ein Schild wies darauf hin, daß man hier nichts trinken konnte. Er befeuchtete sich die Haare und strich sie glatt zurück. Als er wieder auf den Gang trat, standen zwei Männer vor ihm. Sie waren groß und schwarz gekleidet und trugen die gleichen roten Krawatten.

»Gibst du uns Geld?« fragte der eine von ihnen.

Julian nickte, griff in seine Tasche und zog ein paar Geldscheine heraus. Seine Kehle war zugeschnürt. Er fragte sich, ob das wirklich geschah, oder ob er noch auf seinem Platz saß und alles nur träumte.

»Nein«, sagte der andere mit hoher Stimme, »alles bitte. Das ist nötig. Ja?«

»Ja«, sagte Julian, beinahe erleichtert, denn das schien ihm der Beweis, daß es nicht wahr sein konnte. Er holte die restlichen Scheine hervor, alle, und legte sie in die Hand, die sich ihm entgegenstreckte.

»Und der Paß?«

Julian nickte und gab ihm den Paß.

»Danke sehr!« Der Mann hatte breite und sehr weiße Zähne und ein rundes Muttermal auf der Stirn. Bedächtig steckte er den Paß ein. Der andere strich sich über die zu einem Zopf gebundenen Haare, lächelte und sagte auch »Danke!« Es klang so freundlich, daß Julian völlig überrascht war, als plötzlich eine Faust auf ihn zu schnellte. Bevor er die Arme heben oder sich ducken konnte, flog seine Brille davon, er fühlte sich fallen, die Wand prallte gegen seinen Rücken. Für einen Moment stand die Zeit still. Dann stieg – zunächst fast sanft, dann immer stärker – ein pochender Schmerz auf.

Er sah, wie die beiden Männer ohne Eile den Gang entlang schlenderten und sich links und rechts an den Wänden abstützten. Der Schaffner trat aus einem Abteil, rückte die Kappe zurecht und grüßte, die beiden grüßten zurück, öffneten die Tür zum nächsten Waggon, verschwanden. Der Schaffner sah ihnen nach und ging zurück in sein Abteil. Julian wollte rufen, aber seine Stimme gehorchte ihm nicht.

Er spuckte aus, er spürte den Geschmack von Blut. Er betastete sein Kinn: Auch hier war Blut, er wischte es mit dem Ärmel ab. Der Schmerz klopfte gegen seine Stirn, die rechte Wange, die Nase. Aber die Nase war nicht gebrochen, und auch die Zähne, er tastete vorsichtig, waren alle noch da. Langsam stand er auf.

Er untersuchte die Brille: Über das rechte Glas zog sich ein dünner Sprung. Der Boden unter seinen Füßen schien nachgiebig, seine Haare waren immer noch feucht. Er wollte sein Bild in der Fensterscheibe sehen, aber es war schon zu hell dafür. Er tastete nach dem Türgriff, stolperte durch den eisigen Zwischenraum, durch die zweite Tür, sie klemmte, aber er riß sie auf, zurück zu seinem Platz.

Der dicke Mann und der Junge waren nicht mehr da. Der Alte saß immer noch starr, die Frau hatte die Handtasche zwischen ihren Kopf und das Fenster geschoben und schlief. Julian setzte sich und lehnte den Kopf an die Scheibe. Sie beschlug von seinem Atem, sofort füllte sich die Landschaft, die gewellte Erde, das Gras, die Leere bis zu den Bergen, mit Nebel; er wischte die Scheibe ab. Sein Kopf schmerzte. Er mußte irgend etwas tun, die beiden waren noch im Zug, er mußte den Schaffner alarmieren, dieser die Polizei ... Aber nein, das konnte er nicht. Es gab ihn nicht mehr, niemand würde ihm helfen. *Das ist nichts für Sie.* Wer hatte das gesagt? Er stöhnte leise. Er bewegte sich nicht und schloß, für einen Moment nur, die Augen ...

Er kam zu sich, weil der Zug angehalten hatte. Sie standen auf der Strecke, kein Bahnhof war zu sehen, an ein paar Stellen zeichneten sich im Weiß noch lange Grashalme ab, bald würden sie ganz bedeckt sein. Er mußte etwas tun: Jetzt oder gar nicht, sie konnten diesen Moment benutzen, um zu entkommen! Er raffte sich auf, die Frau warf

ihm über ihre Handtasche hinweg einen über-
raschten Blick zu; er ging zur Tür, rüttelte daran,
stemmte sich dagegen, plötzlich gab sie nach, er
stolperte hinaus und ruderte mit den Armen nach
Gleichgewicht.

Sofort griff die Kälte nach ihm. Der Wind schlug
eisig in sein Gesicht, instinktiv griff er sich an
den Hals, aber natürlich hatte er keinen Schal, den
er enger ziehen konnte. Er blinzelte, es war fast
unmöglich, im Schneegestöber etwas zu erkennen.
Aber es sah nicht so aus, als ob noch jemand den
Zug verlassen hatte. Er mußte jetzt wirklich den
Schaffner suchen! Und während er das dachte,
spürte er eine Erschütterung im Boden, hörte ein
Knirschen hinter sich, fuhr herum. Der Zug hatte
sich in Bewegung gesetzt.

Die offene Tür war schon außer Reichweite, ein
zweiter und ein dritter Waggon fuhren vorbei, er
wollte aufspringen, rutschte ab und wäre fast unter
die Räder geraten, hinter einem Fenster starrte ihn
ein Gesicht an, ein Mund und zwei große Augen,
mehr konnte er nicht sehen. Der letzte Waggon. Er
machte noch einen Anlauf, sprang auf ein Tritt-
brett, hielt den Türgriff fest, rutschte ab und fiel
der Länge nach hin. Die Schlußscheinwerfer zogen

an ihm vorbei: ein schrumpfendes Dreieck, das sich rötlich färbte, zu einem einzigen Punkt wurde, erlosch. Julian starrte ihm nach, durch den Schnee und die Dampfwolken seines Atems. Er stand auf und klopfte seine Kleider ab. Plötzlich fühlte er sich nur noch müde.

Langsam ging er los. Vorsichtig, einen Fuß vor den anderen setzend, in der Mitte der Schienen. Er spürte, wie der Schnee tiefer wurde, er stemmte sich gegen den Wind und kniff die Augen zusammen, nach einer Weile fühlte er kaum mehr die Stiche der Flocken. Mußte man nicht, wenn man Schienen folgte, zuletzt einen Bahnhof erreichen, eine Stadt, irgend etwas? Seine Brille beschlug, er wischte sie ab, sie beschlug von neuem. Plötzlich konnte er sich kaum mehr erinnern, wie er hierher gekommen war; alles Vergangene war undeutlich geworden, kaum noch zu verstehen. Er drehte sich um, aber seine Spuren waren schon verweht. In der Ferne zeichneten sich Hügel ab, doch es war nicht zu erkennen, wo sie endeten und wo der Himmel begann, es gab keinen Horizont mehr, nur tosendes Weiß. Er schob eine Schulter nach vorne, um so wenig Widerstand wie möglich zu bieten; da rutschte er aus und fiel wieder hin, der Schotter riß ihm die Handflächen auf, er wollte aufstehen, aber der Schnee hielt ihn fest. Er stützte sich auf die Ellenbogen und versuchte, sein Gesicht abzuwischen.

Er stemmte sich hoch, kam auf die Füße, seine Handflächen bluteten und waren gefühllos vor Kälte. Er konnte sich nicht erinnern, wann er jemals so viel Schnee gesehen hatte. Vor fünf oder sechs Jahren vielleicht, bei Papas Begräbnis, sie hatten knietief darin gestanden, und der Priester hatte, er sah es plötzlich vor sich, bleich und verfroren ausgesehen. Er schlug die Hände zusammen, immer wieder, um die Kälte aus ihnen zu vertreiben; der Wind war so laut, daß er das Geräusch seines Klatschens nicht hörte. Er ging schneller, fast wäre er wieder gefallen, schon nach ein paar Schritten war er zu erschöpft. Neben den Gleisen lag ein Kühlschrank, weggeworfen, geschwärzt von Rost, die Tür weit offen. Er blieb stehen.

Er legte den Kopf in den Nacken, öffnete den Mund und spürte die Kälte, die sich weich auf seine Wimpern, seine Lippen, seine Zunge legte. Er hörte den Sturm, aber als er sich darauf konzentrierte, wich der Lärm zurück. Er horchte. Jetzt war es still.

Er fühlte sich ein und aus und einatmen. Doch als er darauf achtete, hatte auch sein Atem aufgehört; als hätte er die Luft angehalten oder gäbe es keine Luft mehr. Nur die schweigende Gegenwart, den Schnee. Und mit einem Mal war auch dieser nur noch eine Störung seines Blickes, ähnlich dem tanzenden Licht an der Grenze zwischen Wasser und Luft, hoch über ihm. Seegras und eine Schlingpflanze, die sich weich um seine Schultern gelegt hatte, dünne Halme, in denen die Strömung spielte. Und dann? Zu sich kommen und kämpfen, hinauf an die Oberfläche, vielleicht eine Woche im Krankenhaus, dann heimkehren; wenn man nur wollte, würde es sein wie zuvor. Die Frage schien ernsthaft gestellt, er hatte es in der Hand, für einen unendlich kurzen Augenblick, als etwas, eine Bewegung seines Körpers oder auch nur eine Regung seines Willens, alles aufstörte. Er spürte, wie eine Wirklichkeit sich in eine andere schob und zurückwich, und dann waren da wieder die Schienen und der in immer dichteren Wellen vorbeiwehende Schnee.

Er hatte begriffen. Er nahm seine beschlagene Brille ab und faltete sie. Einen Moment wog er sie in der Hand, drehte sie zwischen seinen klammen Fingern. Dann schleuderte er sie von sich.

Er sah sie schrumpfen, sinken und im Schnee- gestöber verschwinden; er sah nicht mehr, wie sie aufschlug. Er stapfte weiter, er versuchte nicht mehr, sich vor dem Wind zu schützen. Er schob die Hände tief in seine Taschen, kniff die Augen zu- sammen und fühlte keine Überraschung, als ein Schatten im Weiß zum Vordach einer Bahnstation wurde.

Keine Weichen oder Verzweigungen, nur ein einzelner Gleisstrang. Ein Bahnsteig unter einem schiefen Dach. Zwei Lampen, ein kleines Haus mit dunklen Fenstern, davor eine Bank, deren Lehne abgebrochen war. Auch ein Stationsschild, doch die Aufschrift, nur wenige Buchstaben, konnte er nicht lesen.

Er sprang auf den Bahnsteig, ging zu der Bank und setzte sich. Er hatte jetzt keine Schmerzen mehr. Der Wind mußte nachgelassen haben, er spürte auch ihn kaum noch. *Du hast einiges vor dir.* Wer hatte das gesagt?

Er blickte auf, das Schild über ihm schwankte, sein Schatten bewegte sich langsam hin und her. Er mußte an Clara denken, an seine Mutter, an Paul, den er seit Monaten nicht gesehen hatte. Sogar an Andrea. Sie alle kamen ihm nicht mehr glaubhaft vor, es war schwer, ihr Bild festzuhalten. Und für einen Augenblick dachte er an Vetering, den kleinen, schlechtgelaunten Mann, von dem niemand je ahnen würde, wieviel er gewußt hatte. Wie hatte alles so schnell gehen können? So unbegreiflich schnell.

Die Sicht war jetzt besser: Die Schienen liefen am Bahnsteig entlang, dehnten sich in die Ferne, schrumpften auf einen Punkt im Norden zu. Dort waren mehr Hügel; sie strebten zueinander, berührten sich, wuchsen zu Bergen. Östlich davon war eine dünne Linie, parallel zum Horizont, ein breiter Flußlauf oder auch eine Küste. Er beugte sich vor und blickte lange dorthin. Er fühlte Neugierde. Hinter sich hörte er das Knarren einer Tür, er drehte sich um, aus dem Dunkel des Bahnwärterhauses war ein Mann getreten. Er hatte breite Schultern, ein rundes Gesicht und einen Schnurrbart, und Julian hatte das Gefühl, daß er ihn schon gesehen hatte. Vor langer oder nicht so langer Zeit, doch das spielte keine Rolle.

»Kann ich helfen?«

»Nein«, sagte Julian. »Jetzt nicht mehr.«

»Der Zug kommt gleich.«

Julian betrachtete seine Hände. Dann blickte

er auf: Die Flocken fielen aus dem Himmel, unzählbar viele, das Weiß schien makellos. Für einen Moment, aus Gewohnheit noch, wunderte er sich, daß er nicht fror. Er nickte. Und plötzlich mußte er lächeln.

»Ich weiß.«

Daniel Kehlmann
Mahlers Zeit

suhrkamp taschenbuch 3238. 160 Seiten

Eines Nachts macht der Physiker David Mahler im Traum eine merkwürdige Entdeckung. Viele Jahre lang hat er sich mit dem Problem der Zeit beschäftigt, mit der Frage, ob ihre Richtung wirklich ein unumstößliches Naturgesetz ist oder sich nicht doch etwas finden läßt, das ihren Lauf umkehrt. Nun hält er die Lösung in der Hand.

Das älteste Gesetz der Natur ist in Frage gestellt, damit die Grundfesten der Welt. Wird endlich ein Menschheitstraum wahr? Mahler will seiner ungeheuren Entdeckung Gehör verschaffen, aber ohne Autorität im Wissenschaftsbetrieb gestaltet sich das ausgesprochen schwierig. Wie gehetzt sucht er den Beistand des Nobelpreisträgers Valentinov, doch seltsame Zufälle verhindern ein Zusammentreffen immer wieder.

In suggestivem Ton macht Daniel Kehlmann die Zweifel und Ahnungen seines Helden nachvollziehbar und den Leser zum Zeugen an einem Experiment: dem Verschwimmen der Zeit.

»Geschickt und mit einer kräftigen, unprätentiösen Sprache erzählt. Unter den vielen merkwürdigen Helden der neueren deutschen Literaturgeschichte ist David Mahler einer der sonderbarsten.«
Nikolaus von Festenberg, Der Spiegel (11. 10. 1999)

»Ein Meisterstück suggestiver Leserführung.«
Hartmut Mangold, Berliner Illustrierte Zeitung (16. 1. 2000)

»Ein poetisches Gedankenexperiment von seltener Qualität.«
Rolf Grimminger, Süddeutsche Zeitung (6. 11. 1999)

»›Mahlers Zeit‹ ist das Werk eines Schriftstellers, der souverän den sanften Schrecken kalkuliert, in fremde Psychen schlüpft, aus Farben, Lichtern, Zeichen und Wundern magische Bilder destilliert. Was diesem Autor immer wieder glückt: die Verschränkung von Zeit und Ewigkeit, Zauber und Schrecken, Hellsicht und Wahn in der Sprache der Poesie.«
Andreas Nentwich, Neue Zürcher Zeitung (12. 10. 1999)

Daniel Kehlmann
Beerholms Vorstellung
suhrkamp taschenbuch 3073. 286 Seiten

Die Lebensgeschichte des Zauberers Arthur Beerholm, von ihm selbst erzählt: Er erinnert sich an seine seltsame Kindheit, den Tod seiner Adoptivmutter durch Blitzschlag, seine Schulzeit in einem Elite-Internat. Dort fängt er an, sich mit Zauberei zu beschäftigen. Nach Schulabschluß beginnt er zunächst ein Theologiestudium, aber das ist, wie er schnell herausfindet, der falsche Weg.

Als Lehrling bei einem berühmten Magier findet Beerholm zu seiner Berufung und füllt bald die größten Säle mit den Bewunderern seiner Kunst. Doch die Dinge scheinen ihm durcheinanderzugeraten: Täuschung und Wahrheit vermischen sich. Als er selbst die Grenzen seiner magischen Fähigkeiten nicht mehr erkennen kann, flüchtet er vor der Öffentlichkeit. Wovor hat er Angst? Und welche Rolle spielt dabei die geheimnisvolle Frau, an die seine Aufzeichnungen gerichtet sind? Ähnelt sie nicht Nimue, der Geliebten des Magiers Merlin, die diesen einst in den Tod getrieben hat? Oder ist dies auch nur eine von Beerholms Vorstellungen?

Ein faszinierender Debütroman – spannend und seine Leser nicht mehr loslassend.

»Ein Lesegenuß zwischen Sein und Schein, Fakten und Mythen.«
Urs Dürrmüller, Berner Zeitung (14. 6. 1997)

»Klare Sprache und pointierte Beobachtungsgabe.«
Hubertus Breuer, Frankfurter Allgemeine Zeitung (27. 10. 1997)

»Ein Fall von früher Meisterschaft.«
Toni Meissner, Abendzeitung (19. 4. 1997)

»Ein junger Erzähler von absoluter Begabung.«
Fritz Rudolf Fries, Neues Deutschland (20. 6. 1997)

Daniel Kehlmannn
Unter der Sonne
suhrkamp taschenbuch 3130. 128 Seiten

Ein riesiges Vermögen landet aus Versehen auf dem Konto eines
kleinen Angestellten; dieser versucht die einmalige Chance zu
nutzen ... Ein Literaturwissenschaftler will das Grab eines Dich-
ters aufsuchen, der ihm zeit seines Lebens auswich, aber dieser
erweist sich über den Tod hinaus als der Überlegene ... Ein
Schauspieler mit Flugangst muß sich in einem Flugzeug die unge-
heuerliche Kritik eines Mitreisenden anhören und kann nicht
fliehen ...

Daniel Kehlmann zeigt erneut sein großes stilistisches Kön-
nen. Die Geschichten, in Thema und Motiv recht unterschied-
lich, erzählen von Menschen, die sich in der Alltäglichkeit ihres
Daseins nach einem Ereignis sehnen, das ihr Leben verändert.
Geschickt aufgebaute Spannung und subtile Ironie machen die
Lektüre zu einem abgründigen Vergnügen.

*»In dieser Qualität Vergleichbares ist rar in der jüngeren deutsch-
sprachigen Literatur.«* Peter Henning, Facts (22. 1. 1998)